ワーク・ライ
バランスは

～少子高齢化と多様化が進む中で～

帝京大学法学部法律学科 教授
著 村上 文

中央労働災害防止協会

まえがき

　ワーク・ライフ・バランスという言葉は、社会に定着してきました。働き方改革関連法が成立し、2019年4月から順次施行されてきている中で、「あらためてさまざまな角度からワーク・ライフ・バランスについて考える」との趣旨で、中央労働災害防止協会の月刊誌「安全と健康」編集部からのお話を受けて、2023年1月から1年間連載しました。この冊子は、その内容をもとに、データを追加、アップデートし、また連載後に進展した施策などについて説明を加え、また巻末に参考資料をつけてまとめたものです（2024年6月初旬までの情報によります）。

　もともと、企業の安全衛生や人事に関係する方に向けた解説です。働く人が結婚、子育て、健康問題、家族の介護、中高年期の働き方など人生の過程で直面する仕事との両立に関連する身近な話題を取り上げており、どこからでもお読みいただけます。これをもとにワーク・ライフ・バランスを再考していただくことを期待しております。

　私は、2014年に、2009年からの雑誌連載を中心にまとめた「ワーク・ライフ・バランスのすすめ」という本を出版しています。その中でワーク・ライフ・バランスに関する実情、基本的な考え方、特に当時の先進的な企業のさまざまな取り組み（好事例）などを紹介しました。そうした取り組み（育児・介護の支援策等）が近年の新たな法律改正で企業に義務付けられてきています。その背景には、少子高齢化が進み、各方面で人手不足が現実化している中、日本の社会全体で、子育てや介護の支援策を含め働き方、働かせ方を見直していく緊要度が増していることがあります。問題は現場で生じ、現場での試行錯誤を経てさまざまな工夫（好事例）が生まれています。好事例から学び、自社にふさわしい制度を設計し、運用する中でさらに改善していくことが要請されています。

　現在勤務している帝京大学では、さまざまなタイプの学生がいます。就職に関する話をすることも多く、長時間労働や育児休業などワーク・ライフ・バランスに関する関心の強さを実感します。学生諸君にも、ワーク・ライフ・バランスの現状を理解し、職業を選択するにあたってこの冊子が参考になります。

　また、表紙のすてきなイラストを描いていただいたカケイキョウさんにも感謝申し上げます。彼女は、私が埼玉労働局勤務時に、若者の雇用対策等で特段のご協力をいただいた秩父の事業主である山根益男氏の娘さんです。このイラストのように、夫婦で協力して仕事と子育てを両立させるなど、各人が望む多様な生き方が選択できるようにしたいものです。

　最後に、ワーク・ライフ・バランスは働く人の生活全般に関わります。多くの方々にお読みいただければ幸いです。

　2024年6月

村上　文

CONTENTS

1　ワーク・ライフ・バランスの意味

2018年6月に働き方改革関連法が成立し、2019年4月から順次施行されている。終戦後の労働三法制定以来の70年ぶりの大改革といわれ、その主要な内容として、「労働時間法制の見直し」と「正社員と非正社員との待遇格差の是正」が挙げられる。

その目的について厚生労働省のパンフレットには「長時間労働をなくし、年次有給休暇を取得しやすくすること等によって、個々の事情にあった多様なワーク・ライフ・バランスの実現を目指す」「同一企業内における正社員と非正社員の間の不合理な待遇の差をなくし、どのような雇用形態を選択しても、待遇に納得して働き続けられるようにすることで、多様で柔軟な働き方を「選択できる」ようにする」旨、記述されている。

ワーク・ライフ・バランスという言葉はよく使われているが、この言葉が有名になったのは、2007年12月に、政労使の代表などからなる「官民トップ会議」において「仕事と生活の調和（ワーク・ライフ・バランス）憲章」と「仕事と生活の調和推進のための行動指針」が策定されたことの影響が大きい。いわばこの政策が旗揚げされたようなものである。憲章の中で、目指すべき「仕事と生活の調和が実現した社会の姿」を以下のように示し、定義している。

〔仕事と生活の調和が実現した社会の姿〕

1 仕事と生活の調和が実現した社会とは、「国民一人ひとりがやりがいや充実感を感じながら働き、仕事上の責任を果たすとともに、家庭や地域生活などにおいても、子育て期、中高年期といった人生の各段階に応じて多様な生き方が選択・実現できる社会」である。

具体的には、以下のような社会を目指すべきである。

1. 就労による経済的自立が可能な社会
経済的自立を必要とする者とりわけ若者がいきいきと働くことができ、かつ、経済的に自立可能な働き方ができ、結婚や子育てに関する希望の実現などに向けて、暮らしの経済的基盤が確保できる。
2. 健康で豊かな生活のための時間が確保できる社会
働く人々の健康が保持され、家族・友人などとの充実した時間、自己啓発や地域活動への参加のための時間などを持てる豊かな生活ができる。
3. 多様な働き方・生き方が選択できる社会
性や年齢などにかかわらず、誰もが自らの意欲と能力を持って様々な働き方や生き方に挑戦できる機会が提供されており、子育てや親の介護が必要な時期など個人の置かれた状況に応じて多様で柔軟な働き方が選択でき、しかも公正な処遇が確保されている。

このワーク・ライフ・バランスの実現のためには、長時間労働の是正など働き方を改めることが必要となる。「仕事と生活の調和推進のための行動指針」では、さまざまな数値目標も定められた。これを契機として、各省庁や自治体もこの関連で予算を獲得し、官民挙げて、さまざまな取り組みが展開されるようになった。

2　ワーク・ライフ・バランスに関するこれまでの動き

憲章、行動指針は、その後の経済情勢の変化や施策の進展を受け、改定されてきている。

また、2009年より毎年「仕事と生活の調和（ワーク・ライフ・バランス）レポート」が作成・公表されてきた。2021年には、行動指針で定められた数値目標が2020年の目標値設定であったことを踏まえ、2020年までの総括レポートが作成されている。憲章と行動指針策定から10年余りを経て成立した働き方改革関連法は、まさしくワーク・ライフ・バランスの実現に大きく資する内容となっている。

3　ワーク・ライフ・バランスが要請される背景

(1) 少子高齢化

ワーク・ライフ・バランスの必要性については、憲章でも仕事と生活が両立しにくい現実、正社員と非正社員の働き方の二極化、結婚や子育てに関する希望が実現しにくくそれが少子化、人口減少につながっていることなどが言及されている。

少子高齢化は今日さらに進んでいる。2023年の出生数は、約72.7万人で過去最少、合計特殊出生率は1.20で過去最低である（**図1**）。1947年～49年生まれの団塊の世代が270万人近い出生数であったのに比べ3分の1を下回る。

2024年には団塊の世代は全員75歳以上の後期高齢者となる。人数の多い団塊ジュニア世代は2024年に50～53歳。彼らはバブル経済崩壊後の、雇用環境が厳しい時期に就職活動を行った就職氷河期世代であり、**図1**のとおり、第3次ベビーブームは起きなかった。合計特殊出生率がよく話題になるが、仮に、同じ2人出産のケースでも、人数の少ない世

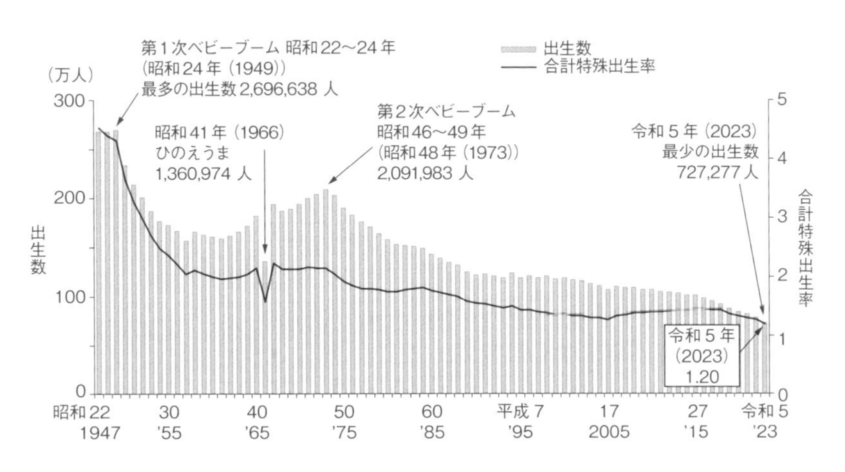

図1　出生数、合計特殊出生率の年次推移（出所：令和5年（2023）人口動態統計月報年計（概数）の概況　厚生労働省）

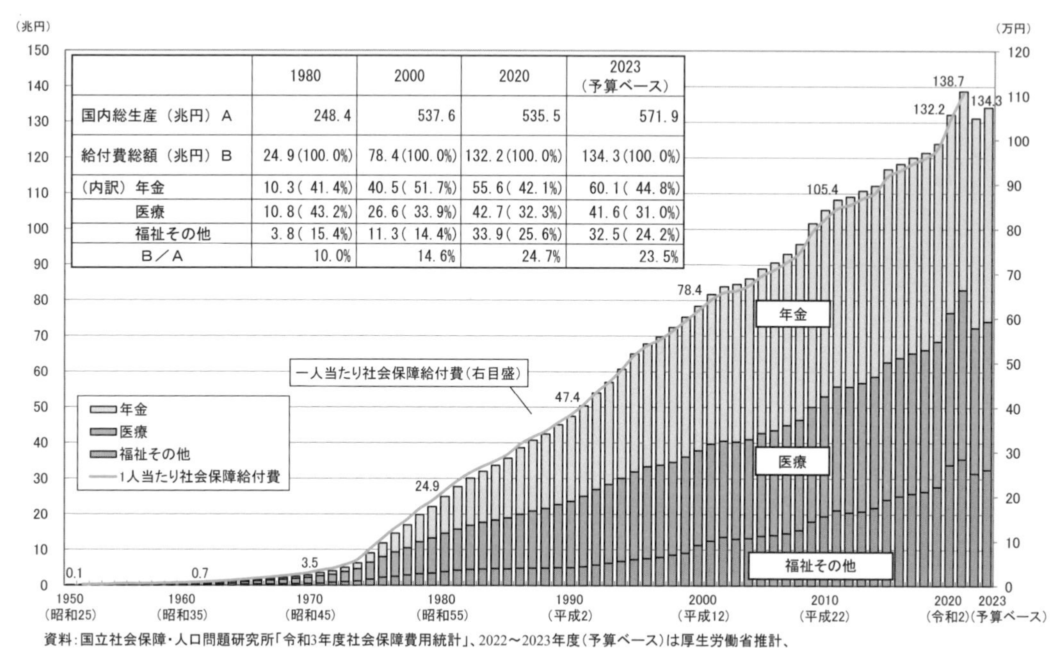

	1980	2000	2020	2023 （予算ベース）
国内総生産（兆円）A	248.4	537.6	535.5	571.9
給付費総額（兆円）B	24.9(100.0%)	78.4(100.0%)	132.2(100.0%)	134.3(100.0%)
（内訳）年金	10.3(41.4%)	40.5(51.7%)	55.6(42.1%)	60.1(44.8%)
医療	10.8(43.2%)	26.6(33.9%)	42.7(32.3%)	41.6(31.0%)
福祉その他	3.8(15.4%)	11.3(14.4%)	33.9(25.6%)	32.5(24.2%)
B／A	10.0%	14.6%	24.7%	23.5%

図2　社会保障給付費の推移（出所：厚生労働省資料「給付と負担について」）

代では人数の多い世代より全体の出生数は少なくなる。今後、出生数を大きく増やすことは容易ではない。

さらに最新の日本の将来推計人口によると、日本の人口の推移（人口ピラミッドの変化）は**巻末資料1、2**のとおりである。人口減少とともに、今後は15～64歳の現役世代の減少がさらに進む見込みである。

他方、年金、医療等の給付費は大変な勢いで増大している（**図2**）。給付費は保険料と税金等の公費で主に賄われており、多くは現役世代が負担している。日本人の平均寿命は長く、年金は生涯受給でき、かかる医療費は年齢が高いほど高額となることが多い。介護保険も高齢になるほど利用が多い。かくして高齢化が進むほど給付費が膨らんでいく。これを支えるのは次世代であり、子どもを産み育てやすい社会にしないと、こうした社会保障のシステムを維持できなくなる。

(2) 働く側の変化

働く側の変化も大きい。勤労者家庭の過半数が共働き世帯になり、人々の生き方や価値観も多様化している。子育て、介護など家庭責任を担う人も多い。「業務上必要ならば長時間労働も、総合職ならば幅広い転勤も当たり前」といったかつての働き方を改め、長時間労働を是正し、仕事と育児・介護との両立を可能とし、制約のある人も働き続けて相応に実力を発揮できるようにしていく必要がある。

現在、非正規雇用の人が被用者の4割近くを占めている。正社員・非正社員間の不合理な待遇差の解消は、待遇に納得して働き続けるために重要である。また、正社員になれず非正規で年齢を重ねるなど被用者であるのに国民年金・国民健康保険加入となっている人に対して、厚生年金や健康保険による保障の充実が望ましいことや、いわゆる「106万円の壁」、「130万円の壁」による就業調整が女性就労の制約になっているという問題もある。被用者保険の適用拡大が段階的に実施されつつあるが、企業規模要件の撤廃などこの方向がさらに進むことが期待される。

さらに、「老後2000万円問題」が話題になり、老後の生活不安を感じる人が少なくない。特に女性は男性より平均寿命が長い。今後は定年以降も健康であれば、男女ともになんらかの形で働いて、年金以外に追加的所得を得る方向も要請される。

そのためには、社会的ニーズのある仕事に就けるように自発的に能力開発を行う必要があり、学び直し（リ・スキリング）のための時間確保が重要である。会社からの支援も望ましい。従業員の仕事能力が高まれば、会社としても社業に役立つことが期待できる。

かくして、性別、年齢を問わず、働き方を見直す必要が高まっている。ワーク・ライフ・バランスの推進は男女とも多くの従業員が望んでいることであり、優秀な人材の確保とその定着に資する。人事政策や競争力確保の面からも、ワーク・ライフ・バランスは企業の重要な経営戦略となるといえよう。

1　新しい資本主義のグランドデザイン

2023年6月16日に「新しい資本主義のグランドデザイン及び実行計画2023改訂版」（以下、「改訂版」という。）が閣議決定された。この中で、①リ・スキリングによる能力向上支援、②個々の企業の実態に応じた職務給の導入、③成長分野への労働移動の円滑化、の改革を三位一体で進めるとする「三位一体の労働市場改革の指針」の内容が反映されている。

第2は、雇用の在り方や労働移動について取り上げる。働く人の人生に大きな影響を及ぼすテーマである。

この問題の背景には、わが国は高齢化と人口減少（特に生産年齢人口の減少）が同時に進行し、産業の生産性、国際競争力が低下しているという現状がある。改訂版は、以下の内容を記述している。

賃金水準は、長期にわたり低迷してきた（先進国の1人あたり実質賃金の推移をみると、1991年から2021年にかけて、米国は1.52倍、英国は1.51倍、フランスとドイツは1.34倍に上昇しているのに対し、日本は1.05倍）。この間、企業は人に十分な投資を行わず、個人は十分な自己啓発を行わない状況が継続した。特に、高いスキルが要求される分野では賃金格差が著しい。諸外国との賃金格差拡大により、先進諸国間のみならず、アジアにおける人材獲得競争でも劣後するようになっているおそれがある。年功賃金での対応は難しく、この賃金格差をなくすため、雇用制度の見直しが求められている。グローバル市場で競争している業種・企業を中心に、人材獲得競争の観点からジョブ型の人事制度を導入する企業等も増えつつあるが、そのスピードは不十分で、人的資本こそ企業価値向上の鍵との認識の下、変化への対応を急ぎ、人への投資を抜本強化する必要がある。

職種別の内外賃金格差は、**表1**のとおりである。生産年齢人口が減る中、年金・医療・介護などの社会保障の水準をある程度維持するためにも、高付加価値の商品を開発し、グ

表1　職務別の内外賃金格差（新しい資本主義のグランドデザイン及び実行計画2023 改訂版　基礎資料集より引用）

	全職種合計	経営／企画	総務	財務経理	人事	IT	クリエイティブデザイン	データアナリティクス	技術研究	プロジェクトマネジメント	営業／マーケティング	生産
日本企業	100	100	100	100	100	100	100	100	100	100	100	100
外資系企業(日本)	114	122	107	118	116	119	110	127	112	129	121	100
シンガポール	165	174	165	170	163	172	163	178	167	180	173	171
ドイツ	157	156	148	157	151	155	133	150	156	163	166	154
米国	152	156	134	141	142	163	140	164	156	171	154	133
韓国	128	133	130	130	129	129	129	150	126	136	132	121
フランス	121	136	115	122	120	124	119	120	114	131	125	107
カナダ	120	120	105	116	114	122	111	118	127	128	121	109
イタリア	116	110	112	116	113	113	112	105	107	121	123	103
英国	112	120	106	114	108	114	103	116	108	111	118	95
中国（北京）	108	125	96	103	107	115	119	133	102	136	113	79

（注）2023年1月時点の世界の職種別総現金報酬水準（専門職シニア7―10年目）について、各国の各職種平均の現地通貨の賃金を2021年の購買力平価ドル（OECD）を用いて実質化し、日本企業の各職種の賃金を100とし、各国の各職種の賃金を日本の数値との比率で示したもの
（出所：マーサー社資料を基に作成）

ローバルな市場でもしっかり稼いで、高い賃金を払える企業が増える必要がある。その意味で、国民生活に関係する重要問題といえよう。

2 個々の企業の実態に応じた職務給の導入

改訂版では、企業の実態に合った職務給の導入による構造的賃上げを通じ、同じ職務の日本企業と外国企業との間の賃金格差を、国ごとの経済事情の差を勘案しつつ縮小することを目指す、とする。いくつかの導入事例が示されており、さらに年内に、個々の企業が制度導入を行う際に参考となるように、導入目的、人材の配置・育成・評価方法、導入方法などについて事例を整理し、中小・小規模企業等の導入事例も含め、多様なモデルを示す、としている。

また、基礎資料集には、従来の日本のメンバーシップ型雇用とジョブ型雇用（職務給）の対比が掲載されている（**表2**）。メンバーシップ型では、人事異動は従業員の意向ではなく会社主導で、与えられた仕事を頑張るのが従業員であり、自分の意思での自律的なキャリア形成が行いにくい。一方、ジョブ型では、個々の職務に応じて必要なスキルが設定されるので、従業員が自ら職務やリ・スキリングの内容を選択することで、自律的なキャリア形成が促されやすい、としている。

ジョブ型を取り入れるとなると、制度設計にもよるが、企業の中で与えられた仕事をしていれば年功的に賃金が上がっていくことが当たり前とはいえなくなり、賃金を上げるには相応の努力が要請される。自律的なキャリア形成を特に望まず、従来の年功的処遇を期待す

表2　従来の日本のメンバーシップ型雇用とジョブ型雇用（職務給）の違い
（新しい資本主義のグランドデザイン及び実行計画2023 改訂版　基礎資料集より引用）

	メンバーシップ型雇用	ジョブ型雇用（職務給）
基本的な考え方	➢人の出入りは原則ない ➢結果の公平性 ➢会社と従業員の関係：保護者と被保護者	➢人の出入りがある（内部労働市場と外部労働市場がシームレスに接続） ➢機会の公平性 ➢会社と従業員の関係：パートナーの関係
人事制度	➢等級：職能 ➢報酬：年功、内部貢献 ➢人事権：昇給賞与は中央管理	➢等級：役割×職種 ➢報酬：職務別市場価値 ➢人事権：昇給賞与は各部門
人事マネジメント	➢採用：新卒一括中心 ➢異動：会社主導	➢採用：職務別採用中心 ➢異動：社内公募（ポスティング制度）の機会
人事運営	➢要員計画：既存−定年+新卒 ➢ジョブ定義：必要なし	➢要員計画：ビジネスベース ➢ジョブ定義：必要
キャリア形成	➢キャリア形成は会社主導 ・与えられた仕事を頑張る ・キャリアは分からないが、雇用は保障 ・将来に向けたリスキル・スキルアップが生きるかどうかは、人事異動次第	➢キャリア形成は個人の意思尊重 ・希望するキャリア実現を目的に、実績を上げる ・社内公募・転職を活用し、従業員が望むキャリアを選択 ・自らリスキル・スキルアップする強い動機
特徴	➢自律的なキャリア形成が構造的に発生しにくい	➢自律的なキャリア形成が構造的に促されやすい

（出所：マーサー社資料も参考にして作成）

る従業員にとっては、心構えや生活設計に大きく影響する。読者の皆様は、どちらが好ましいであろうか。ジョブ型導入は、目指す方向性や時間軸、業種や会社の状況、従業員の意識などを考慮した各社の経営判断となるだろう。ジョブ型とメンバーシップ型のハイブリッドというのもありうると考えられる。

改訂版はさらに、給与制度・雇用制度の透明性の確保として「給与制度・雇用制度の考え方、状況を資本市場や労働市場に対して可視化するため、情報開示を引き続き進める」としている。投資家にとっては、企業の人材戦略や人的資本への投資と、企業価値向上や競争力強化との関連性に関心が強いため、情報開示はこれを踏まえて行うのが効果的であろう。この観点は、人材版伊藤レポート（2020年９月、経済産業省「持続的な企業価値の向上と人的資本に関する研究会」報告書）以来、注目されている。

3　成長分野への労働移動の円滑化

改訂版では、失業給付制度において、自己都合による離職の場合、求職申し込み後２～３カ月間は失業給付を受給できず、会社都合での離職と異なるが、失業給付の申請前にリ・スキリングに取り組んでいた場合などについて会社都合の場合と同じ扱いにするなど、自己都合の場合の要件を緩和する方向で具体的設計を行う、としている。

さらに、退職所得課税制度等の見直し（勤続20年を境に勤続１年あたりの控除額が40万円から70万円に増額されることの見直し等）や、自己都合退職に対する障壁の除去（一部の企業の自己都合退職の場合の退職金の減額、勤続年数・年齢が一定基準以下であれば退職金を不支給といった慣行の見直しに向けて、厚生労働省が定める「モデル就業規則」を改正）、求人・求職・キャリアアップに関する官民情報の共有化などが言及されている。また、成長分野への円滑な労働移動を図るための端緒としても副業・兼業を奨励するとしている。これらは、従来のメンバーシップ型の雇用からみれば大きな転換であり、長期雇用を奨励・優遇していた制度を改め、労働移動の不利益をなくす方向性を示すものである。

少子高齢化が進む中、生活水準を維持するためには持続的な賃金上昇が望ましく、そのためにも付加価値生産性の高い産業、企業へ労働移動が進むことが必要となる。働く人一人ひとりがスキルを高め、能力を十分に発揮できるようにするには、労働市場に関するルールを、従来の長期雇用で働き続けるキャリアか、転職も含めた自立型キャリア形成を図るか、どちらを選んだとしても、各種制度において中立的となるようにしていくことが求められるといえよう。

1　少子化対策

日本の出生数は2023年に72.7万人で過去最少となり、少子化対策の必要性がクローズアップされている。少子化は結婚と密接な関係があり、この問題はずっと前から警鐘が鳴らされてきたテーマである。ここでは、結婚について取り上げる。

「“みんなの”少子化対策」と題する内閣府の「ゼロから考える少子化対策プロジェクトチーム」の提言が2009年に公表された。その冒頭には以下のように書かれている。

◎結婚・出産・子育ての危機…時代は変わった

○かつて、家庭には祖父母がいて、地域社会のつながりや安全な遊び場もあった。学校を卒業して正社員（長期継続雇用・年功序列賃金）として勤務でき、職場で出会い結婚して子どもを産む人が多く、「標準４人家族」という言葉もあった。

○しかし、時代は変わった。「家庭」「地域」「職域」の果たしてきた結婚（縁結び）機能や子育て支援機能が低下した結果、昔は普通にできたことが今では難しくなり、これらの負荷が個人に重くのしかかっている。

○社会全体の仕組として、子育てセーフティーネットを強化し、再構築する必要がある。手遅れにならないためには今が最後のチャンス。

そして、「少子化対策の第一歩は“恋愛・結婚”から」とし、少子化の背景にある恋愛・結婚にまで視野を広げ、若者が安心して家族をもてるように支援すべきであると提言していた。

2024年には第２次ベビーブーム世代の女性が50歳以上となる。事態はさらに深刻になり、異次元の少子化対策について検討された。

実際に、子育て世代の未婚者の年齢別人口に占める割合（**表3**）を見ると、30 ～ 34歳の女性で、1990年に13.9%だったものが、2020年には38.5%に上がっている。また、50歳時の未婚割合（45 ～ 49歳と50 ～ 54歳における割合の平均値）は、1990年の男性5.57%、女性4.33%から2020年の男性28.25%、女性17.81%へと大幅に上がっている（**表4**）。

要因の一つとして、非正規雇用の拡大が挙げられる。非正社員の場合、年功賃金を期待

表３　性・年齢（５歳階級）別未婚者の割合（%）
（出所：国立社会保障・人口問題研究所　人口統計資料集（2023）改訂版。総務省「国勢調査報告」）

男

年齢	1990年	2000年	2010年	2015年	2020年
25～29	65.1	69.4	71.8	74.6	76.4
30～34	32.8	42.9	47.3	49.8	51.8
35～39	19.1	26.2	35.6	37.3	38.5
40～44	11.8	18.7	28.6	31.9	32.2
45～49	6.8	14.8	22.5	27.4	29.9

女

年齢	1990年	2000年	2010年	2015年	2020年
25～29	40.4	54.0	60.3	63.2	65.8
30～34	13.9	26.6	34.5	36.6	38.5
35～39	7.5	13.9	23.1	25.5	26.2
40～44	5.8	8.6	17.4	20.5	21.3
45～49	4.6	6.3	12.6	17.1	19.2

表4　性別、50歳時の未婚割合、有配偶割合、死別割合および離別割合：1990 ～ 2020年
（出所：国立社会保障・人口問題研究所　人口統計資料集(2023)改訂版　表6－23 改変）

年次	男				女			
	未婚	有配偶	死別	離別	未婚	有配偶	死別	離別
1990	5.57	89.91	1.14	3.38	4.33	85.65	4.93	5.09
2000	12.57	81.78	0.96	4.69	5.82	83.67	3.29	7.21
2010	20.14	73.17	0.67	6.03	10.61	77.70	2.37	9.32
2015*	24.77	68.03	0.57	6.63	14.89	72.78	1.90	10.43
2020*	28.25	64.75	0.50	6.50	17.81	70.07	1.49	10.64

総務省統計局『国勢調査報告』により算出。45 ～ 49歳と50 ～ 54歳における割合の平均値。
*不詳補完値に基づく。

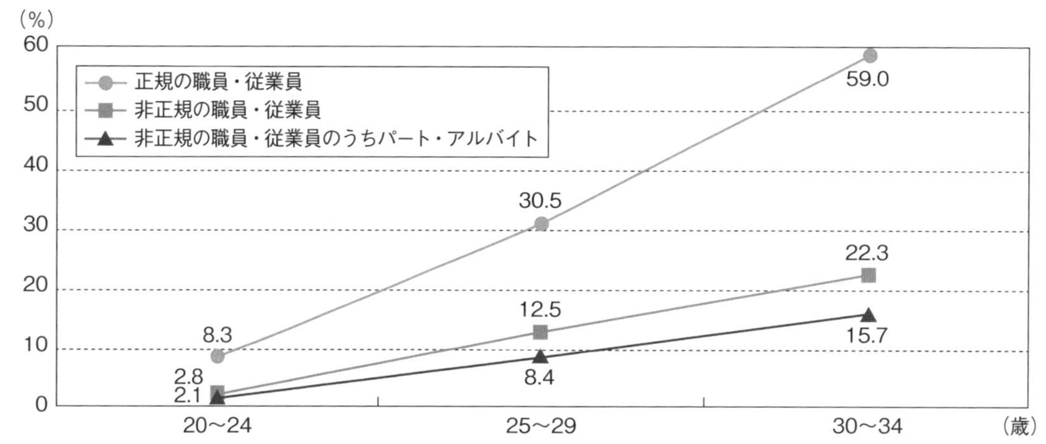

図3　男性の従業上の地位・雇用形態別有配偶率（出所：内閣府　令和４年版「少子化社会対策白書」）

しがたく、正社員との賃金格差が年齢とともに拡大する。会社で職業訓練を受ける機会も正社員より少ない（**巻末資料3、4、5**）。男性の従業上の地位・雇用形態別有配偶率をみると、非正規の職員、従業員が顕著に低くなっている（**図3**）。

2　若者の状況

結婚と出産に関する全国調査として「出生動向基本調査」が5年ごとに実施され、若者や子育て世代の結婚や出産をめぐる行動や意識の変化を捉えている。2021年6月に実施された第16回出生動向基本調査によると、18 ～ 34歳の未婚者対象の調査では、独身でいる理由について、25 ～ 34歳では「適当な相手にまだめぐり会わないから」の選択率が男性43.3%、女性48.1%で最も高い。自分が結婚したいと思うような相手との出会いがないということだろう。

同調査では結婚相手に求める条件として重視・考慮するものについても聞いており、男女とも「人柄」に次いで「家事・育児の能力や姿勢」「仕事への理解と協力」が多かった。また、女性の方が相手の学歴、職業、経済力を重視する傾向が強い。

1990年代以降の変化では、男性では相手の「経済力」を考慮する人が増え、女性では相手の「家事・育児の能力や姿勢」を重視する人が増えている。結婚・出産・仕事をめぐる女性のライフコースについては、未婚女性の理想は、出産後も仕事を続ける「両立コース」が増加して、今調査で初めて最多となり、「再就職コース」「専業主婦コース」は減少している。男性が、自身のパートナーとなる女性に望むコースでも、今回「両立コース」が39.4%に増加し、最多となった。共働きが主流となり、経済的にも家事・育児も、夫婦で共に協力して担っていくという志向が見てとれる。もちろん、結婚やライフコースの選択は個人の自由であるが、トレンドの変化は注目に値する。

3　ワーク・ライフ・バランスとの関連

就職氷河期以降、正社員になれなかった若者は男女ともに多い。男性が非正規雇用だと結婚に踏み切りにくい。また、正社員になっても「失われた30年」といわれるように、賃金はあまり上がらなかった。さらに、ビジネス環境の変化は激しく、名門の大企業でも業績不振等により雇用が安泰でなくなることもある。その結果、男性も経済的に全て自分に頼られるのは負担と感じる人が増えてきた。

新卒で正社員になれて、賃金が上がっていくことが当たり前のように期待できた昭和の感覚とは違う。となると、「結婚当初は自分も働くとしても、子どもができたら仕事を辞めて子育てに力を注ぎたい」といった旧来型の生活を望む女性が希望を実現するのは、以前より難しいということになる。専業主婦を養い、子の教育費も余裕で大丈夫という収入の見通しを持てる独身男性の割合は減少している。

こうした事情を踏まえると、夫婦で経済的な責任も、家事・育児等の家庭責任も分担し、能力や時間資源の「持ち寄り型」の結婚を考えるほうが、経済的に無理なく、早く安定した家庭を築くことができる。二人の仕事や子育てなどの状況に応じて話し合って分担する。必要に応じ、負担軽減のため家庭責任の一部は外注してもよい。女性も地道に定年まで働く覚悟で能力を磨く。そのように考える人のほうが結婚しやすいと思われる。ワーク・ライフ・バランスを共に実現することを目指すスタイルである。

実際、同級生だった男性を見ても、自身の妻はおおむね専業主婦だが、娘も息子の妻も育児休業を取って働き続けているケースが少なくない。時代は確実に変化している。

育児休業、介護休業等育児又は家族介護を行う労働者の福祉に関する法律（以下、「育児・介護休業法」という。）も、近年の改正で特に男性の育児休業取得を推進している。会社は、男性社員も家庭責任を担うことを前提にして、各人の志向も踏まえ、転勤の在り方などを含めて、より広い視点から若い世代の働かせ方を設計していく必要がある。働く人の家族形成と両立支援のために、企業が果たすべき責任と役割は大きいと考える。

1　少子化は国の存続に関わる問題

第1でワーク・ライフ・バランスが要請される背景として少子高齢化について言及したが、2022年12月に出された「全世代型社会保障構築会議報告書」は、「少子化・人口減少の進行は、経済活動における供給（生産）及び需要（消費）の縮小、社会保障機能の低下をもたらし、さらには、多くの地域社会を消滅の危機に導くなど、経済社会を「縮小スパイラル」に突入させることになるだろう。少子化は、まさに、国の存続そのものに関わる問題であるといって過言ではない」とし、今日最も緊急を要する取り組みは「子育て・若者世代への支援を急速かつ強力に整備すること」と記述している。

そこで、ワーク・ライフ・バランスに関し、特に重要な「仕事と子育ての両立支援」について取り上げたい。

2　待機児童問題へのアプローチ

仕事と子育ての両立支援の問題に関して、これまでも1991年に成立した育児休業等に関する法律（現在は「育児・介護休業法」）や2003年に成立した次世代育成支援対策推進法などに基づき、さまざまな施策が講じられてきた。「待機児童ゼロ作戦」も実施された。2001年1月に発足した内閣府の男女共同参画局で、筆者は初代の推進課長を務めた。その最初の仕事が「仕事と子育ての両立支援策について」の検討で、男女共同参画会議の決定に至り、その目玉が待機児童ゼロ作戦であった。

待機児童問題は特に都市部で深刻で、保育施設の受け入れ児童数の増大等の方針を打ち出した。以降、国や自治体を挙げて取り組みがなされたが、「保育園落ちた日本死ね!!!」のブログが話題になるような状況が続き、「保活」（子を保育所に入れるための保護者の活動）という言葉も生まれた。最近は新型コロナウイルス感染症の影響もあり、かなり解消したとされるが、筆者の身近にも「保活で消耗した。頑張って働いて所得が上がるほど入所が不利になる。第2子出産は考えられない」という若者がいる。

国の定める認可保育園に対する保育士の配置基準（最低基準であり、各自治体によって内容は異なる。）により、保育士の数は、おおむね0歳児3人、1～2歳児6人、3歳児20人、4歳児以上30人につき1人以上必要である(注1)。育児・介護休業法により育児休業は原則子どもが1歳に達する日まで（保育所に入所できない等の場合は最長2歳に達する日まで）取得できるが、4月に保育所に入れないと年度途中に入るのは難しく、入所できれば継続できるので0歳児で入所申し込みをする人が少なくない。

1歳で必ず入所できるようになれば、無理に0歳児で申し込みせずに済み、保育士がより多くの子を保育することが可能となる（入所しやすくなる）。保育士は大事な人的資源である。

１歳の育児休業終了時に利用したい人が必ず利用でき、働き続けたい人が働けるようにするのがまず大切と考える。前述の報告書では、保育の利用開始時期について、あらかじめ相談して保育の枠を確保できる予約システムの構築を図るべきという内容を記しており、うまく制度設計できれば効率化が図られ、待機児童解消に資することが期待できる。

（注１）こども未来戦略「加速化プラン」により、配置基準につき、2024年度から４・５歳児につき30対１から25対１への改善を図り、2025年度以降、１歳児について５対１への改善を進めるとされている（**巻末資料６**参照）。

3　育児休業制度の充実

第１子出産前後の妻の就業変化についての調査データ（国立社会保障・人口問題研究所「第16回出生動向基本調査（夫婦調査）」）によると、出産前に働いている女性（有職者）の約７割が就業を継続しており、育児休業利用も進んでいる。他方で約３割の女性が出産・育児を機に退職している。その背景には職場風土、夫の十分な協力が得にくいなどの事情がある。

育児休業の取得割合は2022年度で女性は80.2%、男性は17.13%。取得期間は2021年度で女性は６月以上が95.3%であるのに対し、男性は２週間未満が51.5%で、男女の育児への関与に大きな差がある（**図４**）。

データによると、夫の家事・育児時間が長いほど妻の就業継続割合が高く、また第２子以降の出生割合も高い傾向にある（**図５**、**図６**）。

育児・介護休業法は何度も改正されてきた。私も深夜業の制限に関する改正を課長として担当した。育児休業や短時間勤務制度も充実してきている。2021年の改正では、産後パパ育休制度や雇用環境整備、労働者への制度の個別周知・意向確認、育児休業取得状況の公表等が規定され、2022年４月から段階的に施行されている（**図７**）。

産後パパ育休制度は母親が産休中のニーズに即応している。雇用環境整備や個別の周知・意向確認は休業取得を円滑にするためのものであり、取得を控えさせる形は認められない。また育児休業等の取得状況の公表義務付けは、学生の企業選択にも影響する。これにより職場の風土が変わり、男性の育児休業をはじめ子育てへの関与が進み、男女双方の仕事と育児の両立に寄与することが期待される。

また、男女ともに仕事と育児・介護を両立できるようにするため、育児・介護休業法及び次世代育成支援対策推進法の一部を改正する法律案が国会（令和６年常会）に提出されている。その概要は**巻末資料７**のとおりである。子の年齢に応じた柔軟な働き方を実現するための措置の拡充など、事業主の講ずべき措置の充実が求められる内容となっており、社会的要請を反映しているといえよう。

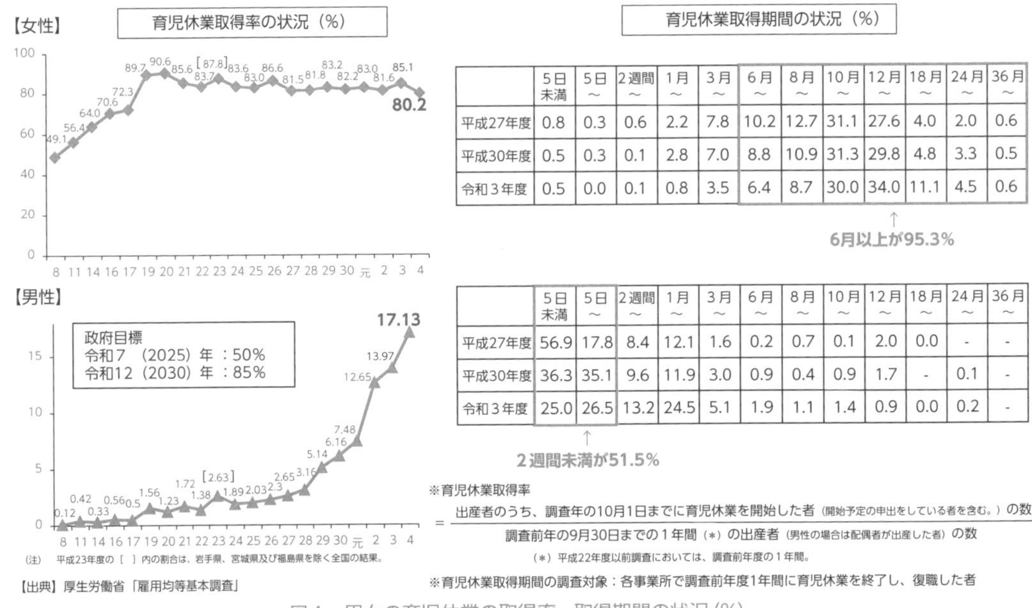

【女性】

	5日未満	5日〜	2週間〜	1月〜	3月〜	6月〜	8月〜	10月〜	12月〜	18月〜	24月〜	36月〜
平成27年度	0.8	0.3	0.6	2.2	7.8	10.2	12.7	31.1	27.6	4.0	2.0	0.6
平成30年度	0.5	0.3	0.1	2.8	7.0	8.8	10.9	31.3	29.8	4.8	3.3	0.5
令和3年度	0.5	0.0	0.1	0.8	3.5	6.4	8.7	30.0	34.0	11.1	4.5	0.6

↑ 6月以上が95.3%

【男性】

	5日未満	5日〜	2週間〜	1月〜	3月〜	6月〜	8月〜	10月〜	12月〜	18月〜	24月〜	36月〜
平成27年度	56.9	17.8	8.4	12.1	1.6	0.2	0.7	0.1	2.0	0.0	-	-
平成30年度	36.3	35.1	9.6	11.9	3.0	0.9	0.4	0.9	1.7	-	0.1	-
令和3年度	25.0	26.5	13.2	24.5	5.1	1.9	1.1	1.4	0.9	0.0	0.2	-

↑ 2週間未満が51.5%

※育児休業取得率

＝ 出産者のうち、調査年の10月1日までに育児休業を開始した者（開始予定の申出をしている者を含む。）の数 ／ 調査前年の9月30日までの1年間（＊）の出産者（男性の場合は配偶者が出産した者）の数

（＊）平成22年度以前調査においては、調査前年度の1年間。

※育児休業取得期間の調査対象：各事業所で調査前年度1年間に育児休業を終了し、復職した者

図4　男女の育児休業の取得率・取得期間の状況（%）
（出所：第17回全世代型社会保障構築会議　資料5、p8　厚生労働省）

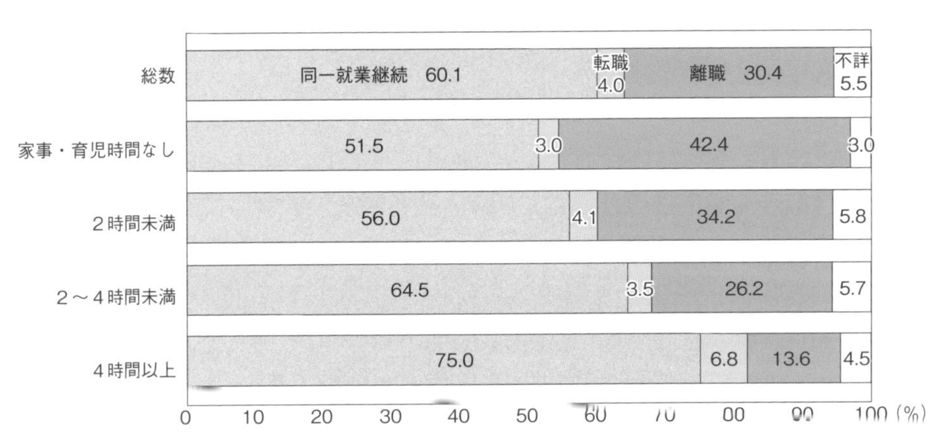

（備考）
1. 厚生労働省「第14回21世紀成年者縦断調査（2002年成年者）の概況」（調査年月：2015年11月）より作成。
2. 集計対象は、以下の①または②に該当し、かつ③に該当する同居夫婦である。
   ①第1回調査から第14回調査まで双方が回答した夫婦
   ②第1回調査時に独身で第13回調査までの間に結婚し、結婚後第14回調査まで双方が回答した夫婦
   ③妻が出産前に仕事ありで、かつ、「女性票」の対象者で、この13年間に子どもが生まれた夫婦
3. 13年間で2人以上出生ありの場合は、末子について計上している。
4. 家事・育児時間の「総数」には、家事・育児時間不詳を含む。

図5　夫の家事・育児時間（平日）別出産後の妻の就業継続状況
（出所：仕事と生活の調和（ワーク・ライフ・バランス）レポート2019）

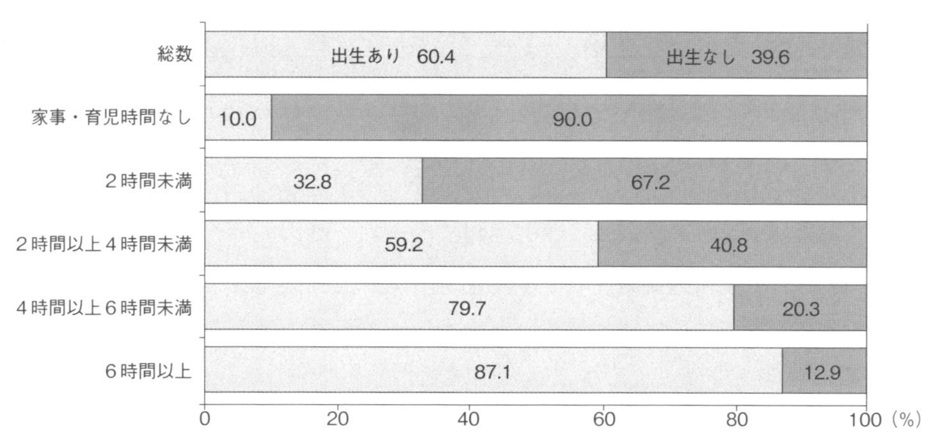

（備考）
1. 厚生労働省「第14回21世紀成年者縦断調査（2002年成年者）」（調査年月：2015年11月）より作成。
2. 集計対象は、①または②に該当し、かつ③に該当する同居夫婦である。ただし、妻の出生前データが得られていない夫婦は除く。
　①第１回調査から第14回調査まで双方が回答した夫婦
　②第１回調査時に独身で第13回調査までの間に結婚し、結婚後第14回調査まで双方が回答した夫婦
　③出生前調査時に子どもが１人以上いる夫婦
3. 家事・育児時間は、「出生あり」は出生前調査時の、「出生なし」は第13回調査時の状況である。
4. 13年間で２人以上出生ありの場合は、末子について計上している。
5.「総数」には、家事・育児時間不詳を含む。

図6　子どもがいる夫婦の夫の家事・育児時間別に見たこの13年間の第２子以降の出生の状況
（出所：仕事と生活の調和（ワーク・ライフ・バランス）レポート2019）

育児休業、介護休業等育児又は家族介護を行う労働者の福祉に関する法律及び雇用保険法の一部を改正する法律の概要（令和3年法律第58号、令和3年6月9日公布）

改正の趣旨

出産・育児等による労働者の離職を防ぎ、希望に応じて男女ともに仕事と育児等を両立できるようにするため、子の出生直後の時期における柔軟な育児休業の枠組みの創設、育児休業を取得しやすい雇用環境整備及び労働者に対する個別の周知・意向確認の措置の義務付け、育児休業給付に関する所要の規定の整備等の措置を講ずる。

改正の概要

1　男性の育児休業取得促進のための子の出生直後の時期における柔軟な育児休業の枠組み『産後パパ育休』の創設【育児・介護休業法】
子の出生後8週間以内に4週間まで取得することができる柔軟な育児休業の枠組みを創設する。
①休業の申出期限については、原則休業の2週間前までとする。※現行の育児休業（1か月前）よりも短縮
②分割して取得できる回数は、2回とする。
③労使協定を締結している場合に、労働者と事業主の個別合意により、事前に調整した上で休業中に就業することを可能とする。

2　育児休業を取得しやすい雇用環境整備及び妊娠・出産の申出をした労働者に対する個別の周知・意向確認の措置の義務付け
①育児休業の申出・取得を円滑にするための雇用環境の整備に関する措置
②妊娠・出産（本人又は配偶者）の申出をした労働者に対して事業主から個別の制度周知及び休業の取得意向の確認のための措置を講ずることを事業主に義務付ける。

3　育児休業の分割取得
育児休業（1の休業を除く。）について、分割して2回まで取得することを可能とする。

4　育児休業の取得の状況の公表の義務付け
常時雇用する労働者数が1,000人超の事業主に対し、育児休業の取得の状況について公表を義務付ける。

5　有期雇用労働者の育児・介護休業取得要件の緩和
有期雇用労働者の育児休業及び介護休業の取得要件のうち「事業主に引き続き雇用された期間が1年以上である者」であることという要件を廃止する。ただし、労使協定を締結した場合には、無期雇用労働者と同様に、事業主に引き続き雇用された期間が1年未満である労働者を対象から除外することを可能とする。

6　育児休業給付に関する所要の規定の整備【雇用保険法】
①1及び3の改正を踏まえ、育児休業給付についても所要の規定を整備する。
②出産日のタイミングによって受給要件を満たさなくなるケースを解消するため、被保険者期間の計算の起算点に関する特例を設ける。

施行期日

・2及び5：令和4年4月1日
・1、3及び6：令和4年10月1日（ただし、6②については令和3年9月1日）
・4：令和5年4月1日
等

図7　育児・介護休業に関する法改正の概要（出所：厚生労働省資料）

4　進むべきイクメン、イクボスの道

意識改革が必要な会社や管理職も多いだろうが、子育て支援は両親のみならず、国の存続そのものに関わる重大事なのだ。厚生労働省は「イクメンプロジェクトサイト」（https://ikumen-project.mhlw.go.jp）を設け、社内研修に活用できるパワーポイント資料を掲載している。管理職編では「イクボス」（部下の育休取得や短時間勤務などがあっても、業務を滞りなく進めるために業務効率を上げ、育児と仕事を両立できるように配慮し、自らも仕事とプライベートを充実させている管理職）になることが推奨されている。「イクボス」は、自分自身を含め、育児・介護などさまざまな事情を抱えるチームメンバー全員に私生活の時間を確保し（ワーク・ライフ・バランス）、おのおのがもてる能力を最大限発揮して限られた時間で成果を出せる（職場の活性化、生産性向上）ようにサポートしていくマネジメントを実践しなければならない。具体的な取り組み事例も紹介されているので参考にしていただきたい。

5　こども未来戦略

その後、政府において少子化対策について検討が進められ、2023年12月22日に「こども未来戦略」が閣議決定された。こども・子育て政策の強化のための３つの基本理念は、①若い世代の所得を増やす　②社会全体の構造・意識を変える　③全てのこども・子育て世帯を切れ目なく支援する　とされ、今後３年間の集中的な取り組みとして「加速化プラン」が示された。多方面にわたる充実した内容となっている（**巻末資料6**）。

1 円滑な育児休業取得のために

育児・介護休業法の改正などにより、育児休業や育児短時間勤務など両立支援の制度利用が男性も含めて一般化していくことが期待される。これに伴い、その人が担っていた仕事を誰がどのように代替・分担するかが従来以上に問題となってくる。短期間であればともかく、長期間となると、引き継ぎのために相当の組織的対応が必要になる。

東京都産業労働局の調査によると、男性の育児休業取得にあたっての課題として、「代替要員の確保が困難」「休業中の賃金補償」が事業所、従業員共に割合が高い。また「職場がそのような雰囲気ではない」が従業員の男性で38.8%、女性で48.0%となっている(**図8**)。

育児休業で代替要員の確保が困難な場合は、その人の業務を、同じ部門のメンバーに割り振ることになる場合が多いようだ。この場合、単に割り振るだけだと、分担するメンバーの負担が過重になる。そのため、休む人と分担する人の仕事内容を改めて見直し、重要性の低いもの、簡素化できるものについては、これを契機に整理するなどの検討が必要であろう。さもないと、周囲のメンバーが疲弊し、不満が出てその職場の実績が低下したり、ハラスメントが生じやすくなったりするおそれがある。

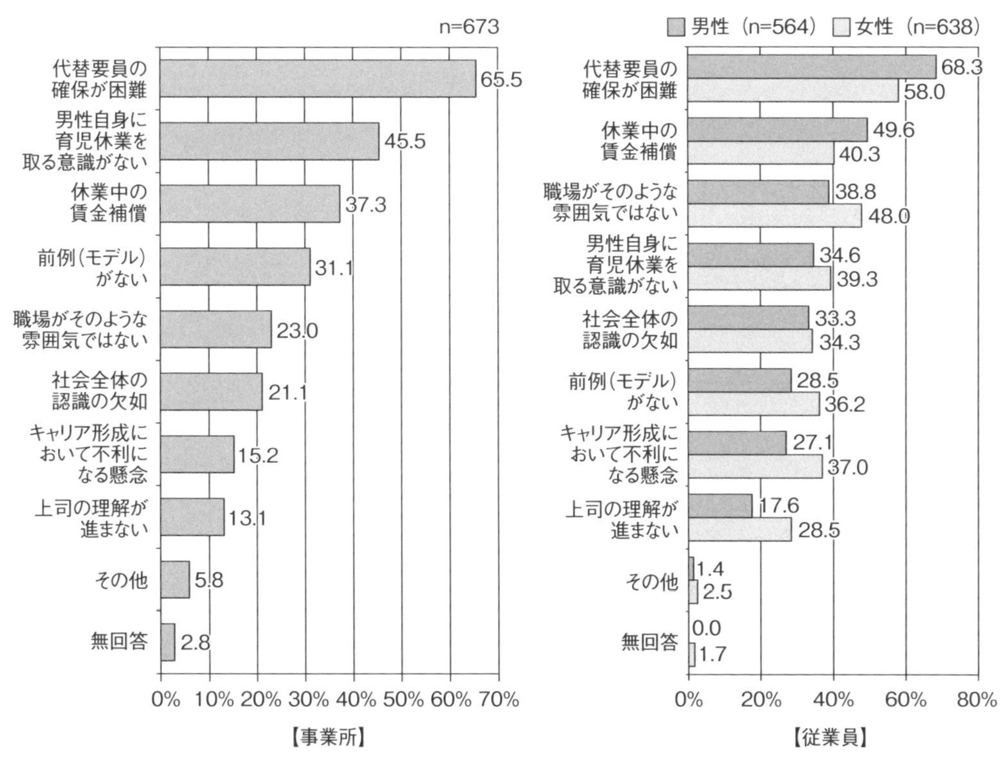

図8 男性の育児休業取得に当たっての課題(複数回答)
(出所:東京都産業労働局 令和3年度東京都男女雇用平等参画状況調査結果報告書)

2　妊娠・出産・育児休業等を理由とする不利益取り扱いとハラスメント

実際、妊娠、出産、育児休業などに関する不利益取り扱いやハラスメントはよく問題になる。この問題を所管する都道府県労働局雇用環境・均等部（室）への相談は少なくなく、性差別に関する相談よりもはるかに多い（**表5**）。

妊娠・出産を理由とする解雇や減給などの不利益取り扱いは男女雇用機会均等法で、育児休業等を理由とする不利益取り扱いは育児・介護休業法で禁止されている。また、同様にこれらの法に基づき、事業主には、妊娠、出産、育児休業等に関する上司・同僚からの職場でのハラスメントの防止措置を講ずることが義務付けられている。具体的には、

●事業主の方針の明確化およびその周知・啓発

●相談（苦情を含む）に応じ、適切に対応するために必要な体制の整備

●事後の迅速かつ適切な対応

●原因や背景となる要因を解消するための措置

●プライバシー保護等、併せて講ずべき措置

である。上司、同僚からの職場でのハラスメントについて、指針では2つの型が示され、厚生労働省のパンフレットでもさまざまな例が掲載されている（**図9**）。まず、この対応をしっかりと行うことが重要である。

表5　妊娠・出産・育児休業等の問題に関する都道府県労働局雇用環境・均等部（室）での相談件数（2022年度）（厚生労働省ホームページより、筆者作成）

性差別	1,221件
婚姻、妊娠、出産等を理由とする不利益取り扱い	4,717件
妊娠、出産等に関するハラスメント	1,926件
育児休業に係る不利益取り扱い	5,116件
育児休業以外に係る不利益取り扱い（育児関係）	1,557件
育児休業等に関するハラスメントの防止措置	1,809件

1. 制度等※ の利用への嫌がらせ型

- 制度等の利用を理由に解雇や不利益取扱いを示唆する言動
- 制度等の利用を阻害する言動
- 制度等の利用を理由に嫌がらせ等をする言動

〈例えば…〉
- 妊娠により立ち仕事を免除してもらっていることを理由に**「あなたばかり座って仕事をしてずるい！」**と、同僚からずっと仲間はずれにされ、仕事に手がつかない。
- 男性労働者が育児休業を申し出たところ、上司から**「男のくせに育休とるなんてあり得ない」**と言われ、休業を断念せざるを得なくなった。

※制度等とは、以下のものをいいます。

男女雇用機会均等法が対象とする制度等

①産前休業
②妊娠中及び出産後の健康管理に関する措置（母性健康管理措置）
③軽易な業務への転換
④変形労働時間制での法定労働時間を超える労働時間の制限、時間外労働及び休日労働の制限並びに深夜業の制限
⑤育児時間
⑥坑内業務の就業制限及び危険有害業務の就業制限

育児・介護休業法が対象とする制度等

①育児休業
②介護休業
③子の看護休暇
④介護休暇
⑤所定外労働の制限
⑥時間外労働の制限
⑦深夜業の制限
⑧育児のための所定労働時間の短縮措置
⑨始業時刻変更等の措置
⑩介護のための所定労働時間の短縮等の措置

2. 状態への嫌がらせ型

- 妊娠・出産等を理由に解雇その他不利益取扱いを示唆する言動
- 妊娠・出産等を理由に嫌がらせ等をする言動

〈例えば…〉
- 先輩が**「就職したばかりのくせに妊娠して、産休・育休をとろうなんて図々しい」**と何度も言い、就業意欲が低下している。

対象となる事由（状態）

①妊娠したこと、②出産したこと、③産後休業を取得したこと、④つわり等で能率が下がったこと　など

図9　妊娠・出産・育児休業、介護休業等に関するハラスメントの型（出所：厚生労働省パンフレット）

3　収入への影響

育児休業を取ることによる当面の賃金・賞与の減少や退職金への影響が気になる人は多い。不利益取り扱いの例の「減給をし、又は賞与等において不利益な算定を行うこと」について、育児休業や子の看護休暇、所定労働時間の短縮措置等の期間の現に働かなかった時間について賃金を支払わないこと、賞与や退職金の算定に当たり、現に勤務した日数を考慮する場合に育児休業等により労務を提供しなかった日数分（短縮時間の総和相当の日数分を含む）は働かなかったものとして取り扱うことは不利益取り扱いには該当しないが、それを超えて働かなかったものとして取り扱うことは不利益な算定に該当するとされている。

育児休業期間中の賃金については会社によって異なるが、賃金を支払わないところが多い。この場合も、育児休業（出生時育児休業を含む）を取得し、受給要件を満たしていれば、原則として休業開始時の賃金の67%（180日経過後は50%）の育児休業給付を受けることができる。

また、育児休業期間中は、一定の要件を満たしていればその月の社会保険料（健康保険、厚生年金保険）が被保険者本人負担分、事業主負担分とも免除されるので、180日までは手取りで約８割が確保される。さらに、こども未来戦略「加速化プラン」において、出生後の一定期間に男女で育休を取得することを促進するため、給付率を手取り10割相当にすることが予定されている（**巻末資料６**参照）。

育児・介護休業法の改正により、妊娠・出産を申し出た労働者に対し、育児休業給付に関することや社会保険料の取り扱いについて個別に周知することが事業主に義務付けられた(注２)。これにより従業員の不安感が和らぐことが期待される。

（注２）社会保険料の免除を受けても、健康保険の給付は通常通り受けられ、また免除された期間分も将来の年金額に反映される。

４　「職場の雰囲気問題」への対処

業務の代替要員の確保に関しては、使用者は育児休業中の人に賃金を払う義務はないので、その賃金相当分が不要となることを考慮して、サポートの人手を派遣社員や非正社員の雇用で確保するということも考えられる。休む人の仕事をそのまま代替することは難しくとも、同部門の仕事を割り振られた人たちが担当する仕事の一部、例えばコピー取り、プレゼン用の資料づくりなどの補助的な仕事を任せれば助かるであろう。

また、人手確保が難しい場合に、休業者の業務を付加的に担当する人に対して相応の手当を支払っている企業もある。こうした配慮があると負担感が軽減される。さらに、引き継ぎにあたり業務が「見える化」されるので、個々の作業の必要性を再検討し効率化することに加え、情報の共有化を進めてメンバー不在時の対応力を高めることも大切である。

一方、育児のためのさまざまな制度を利用する人は、休業や短時間勤務は上司や同僚の仕事に影響を及ぼすことを踏まえ、協力を得るために必要な自分の状況などを知らせ、周囲とよくコミュニケーションをとる必要がある。職場には仕事の流れとともにメンバーの感情の流れがある。制約がある中でも誠実に仕事をして組織に貢献する姿勢を示すことが、周囲のサポートを得て気持ち良く働くために不可欠であると考える。

育児支援については、さらなる充実のための改正法案が国会（令和６年常会）に提出されている（**第４**参照）。

長時間労働の是正

1　長時間労働の問題

日本は、世界でも有数の長時間労働の国であるとされてきた。恒常的な長時間労働は、心身の健康の確保だけでなく、仕事と家庭との両立を困難にし、女性の活躍推進の障害となり、少子化の原因にもなってきている。

殊に、子育て世代の男性の長時間労働が問題である。夫の家事・育児時間が長いほど妻の就業継続割合が高く、また第２子以降の出生割合が高い傾向にあることについては、第４でデータを紹介したとおりである。ここでは、長時間労働の是正について取り上げる。この問題は、ワーク・ライフ・バランス、働き方改革の主要テーマである。

2　働き方改革関連法の意義

働き方改革関連法により労働時間法制が見直され、法律で罰則付きの残業時間の上限が定められて、これを超える残業ができなくなった（適用を猶予、除外する事業・業務はある）（**図10**）。これは、1947年に制定された労働基準法において、初めての大改革とされる。

さらに、労働安全衛生法の改正により、管理監督者や裁量労働制の人も含め、労働時間の状況を客観的に把握するように事業者に義務付けたことも大きい。これは、長時間労働による健康リスクが高い状況にある労働者を見逃さないため、医師による面接指導が確実に実施されるようにし、労働者の健康管理の強化を目指すものである。

そのため、事業者に対し、時間外・休日労働時間の算定を行ったときは、時間外・休日労働時間が１カ月当たり80時間を超えた労働者に、その超えた時間について、速やかにその情報の通知を義務付け、面接指導の対象となる労働者の要件を「時間外・休日労働時間

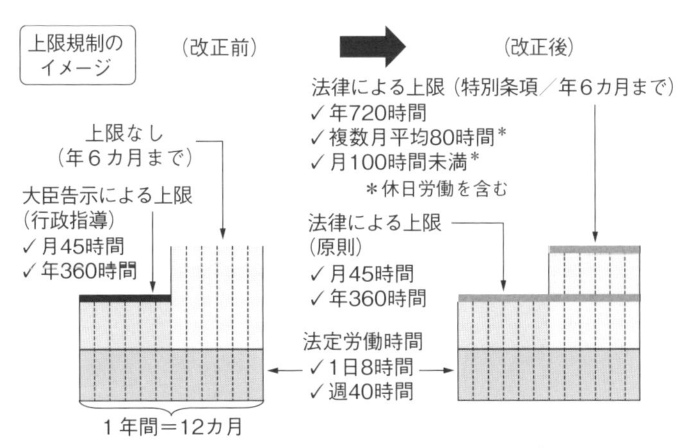

図10　残業時間の上限規制の改正（出所：厚生労働省パンフレット）

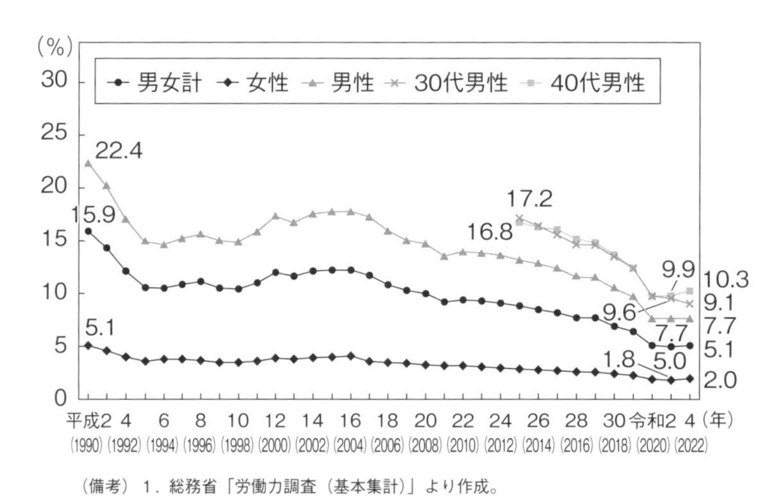

図11　週間就業時間60時間以上の雇用者の割合の推移（出所：内閣府　男女共同参画白書　令和5年版）

が１カ月当たり80時間を超え、かつ疲労の蓄積が認められる者」に拡大している。

改正前の2017年には、月末１週間の労働時間が60時間以上の雇用者の割合が、子育て世代である男性の30歳台で14.7％、40歳台で14.9％であった（2022年は各9.1％、10.3％と改善）（**図11**）。週労働時間60時間というのは、週20時間の時間外・休日労働をしていることであり、週休２日で休日労働をしないとすれば、平日に１日平均４時間残業しているイメージである。夜10時頃まで残業して家に帰ったら11時というような生活で、これで父親に「もっと家事や子育てを」と要求しても無理がある。こうした働き方が恒常的になると、１カ月は４週以上あるから、時間外・休日労働は月80時間を超える。これは、脳・心臓疾患の場合、「長期間の過重業務」として労災認定されるような水準である。

長期間にわたる過重な労働は、著しい疲労の蓄積をもたらす最も重要な要因と考えられ、脳・心臓疾患の発症にも影響を及ぼすと言われている。

脳・心臓疾患の労災認定基準では、週40時間を超える時間外・休日労働がおおむね月45時間を超えて長くなるほど、業務と発症との関連性が徐々に高まる。発症前１カ月間におおむね100時間または発症前２カ月間ないし６カ月間にわたって１カ月当たりおおむね80時間を超える時間外・休日労働が認められる場合は、業務と発症との関連性が強いと評価できることとされている。この認定基準は、2019年の労働基準法改正で残業時間の上限規制に反映されている。実際、最近は脳・心臓疾患による労災認定の件数は減少している（**図12**）。

労働により従業員が健康を損なうことはあってはならないし、長時間労働の状況に応じて健康確保措置をとる必要がある。これは仕事の質を維持するためにも欠かせない。例えば睡眠不足状態での営業での車の運転など、自分や他人の命にかかわることもある。

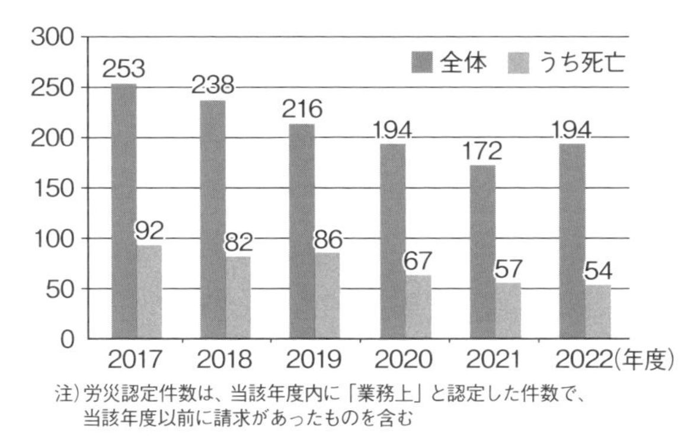

図12　脳・心臓疾患に係る労災認定件数の推移（出所：厚生労働省）

3　必要な仕事の仕方の見直し

長時間労働の是正は、前述のように従業員の健康を守るために必須であるが、企業の生産性向上、創造性豊かな商品を生み出す力の確保のためにも必要である。現在、夫婦共働きが多数を占める中、残業が多い職場だと家事、育児、介護など時間制約のある従業員が実力を十分発揮しにくい。また、家庭で子どもと夕食を共にするのが難しいといった生活の質に影響する。これが女性の就業継続や活躍を阻害し、少子化を促進することにもなってきた。

長時間労働の要因はさまざまあるが、人事管理に関し、従来、残業をいとわず熱心に仕事をする（ように見える）部下を高く評価しがちであった。部下も上司の評価を気にして、その仕事によって顧客等から得られる対価がコスト（残業代等）に見合っているかを考慮せず、時間をいっぱい使って仕事をするような組織風土をもつ会社が少なくなかった。また、一般従業員も残業は賃金を増やす確実な方法なので、本音では「ある程度残業代を稼ぎたい」と考える人も多かった。「生活残業」という言葉もあった。

会社としてこうした風土を改めるべく人事部が残業削減を呼びかけ、残業を許可制にする、一定時刻に消灯する、会議を削減する、といった対策を実施している企業も増えた。しかし、残業削減だけを図っても、「残業代が減る」「一気に仕上げたいのに帰宅を強制される」などで従業員の仕事の満足度が下がっている場合もあるようだ。

これを防ぐためには、もっと根本的に仕事の仕方、マネジメントを見直して効率化を図り、時間当たりの生産性を意識する働き方に変えていく必要がある。プロセスを含めた業務の見直しを組織全体で行い、中核となる業務の周辺の無駄な作業を省き、過剰品質を解消して短時間で要求された質の仕事をする。この結果、優先度の高い業務に力を入れることができ、それが組織の経営のレベルを上げることにつながる。

4　経営者、管理職の姿勢

長時間労働を是正するために、管理職は各人にふさわしい仕事を割り振る、過剰品質とならないよう明確な指示をする、多能工化を図る、仕事を「見える化」し情報共有して組織内での連携・協力体制をつくるなど、適切なマネジメントを行う必要がある。これにより各人がそれぞれの事情に応じて計画的に早く帰ったり、休暇を取ったりしやすくなるのが望ましい。

自己啓発を望む社員が自由に受けられる語学や経営に関する各種講座を提供している企業もある。経営者、管理職の姿勢は極めて重要である。現場の生産性向上で生まれた時間を、管理職を含めた社員が自由に使って、生活を楽しめる働き方改革となるのが、あるべき姿だと考える。

1　三位一体の労働市場改革の指針

今、リ・スキリングが話題になっている。「学び直しでスキルを習得する」リ・スキリングは、働く人のキャリア形成に影響し、自分の時間の使い方に関わるテーマなので取り上げてみたい。

政府の「新しい資本主義実現会議」(注3)が2023年5月16日に決定した「三位一体の労働市場改革の指針」(以下、「指針」という。)の冒頭に「働き方は大きく変化している。『キャリアは会社から与えられるもの』から『一人ひとりが自らのキャリアを選択する』時代となってきた。職務ごとに要求されるスキルを明らかにすることで、労働者が自分の意思でリ・スキリングを行え、職務を選択できる制度に移行していくことが重要である。そうすることにより、内部労働市場と外部労働市場をシームレスにつなげ、社外からの経験者採用にも門戸を開き、労働者が自らの選択によって、社内・社外共に労働移動できるようにしていくことが、日本企業と日本経済の更なる成長のためにも急務である」と書かれている。

そして、GX(グリーントランスフォーメーション)やDX(デジタルトランスフォーメーション)など新たな技術を活用した変革の新潮流は必要なスキルや労働需要を大きく変化させ、長寿化で就労期間が長期化する一方で、さまざまな産業の盛衰が短期間で進む中、誰しもが生涯を通じて新たなスキル獲得に努める必要があること、他方、現実には働く個人の多くが受け身の姿勢であることが問題であり、その背景には年功賃金制などの雇用システムがある。

このため、「リ・スキリングによる能力向上支援、個々の企業の実態に応じた職務給の導入、成長分野への労働移動の円滑化、の三位一体の労働市場改革を行い、客観性、透明性、公平性が確保される雇用システムへの転換を図ることが急務である」としている。

(注3)新しい資本主義実現会議での委員提出資料は、内閣官房のホームページに掲載されており、本稿で参考にしている。

2　在職者による主体的なリ・スキリングへの支援

指針では、リ・スキリングによる能力向上支援の第一に、個人への直接支援の拡充を挙げている。在職者への国の学び直し支援策は、現在、企業経由が75%(人材開発支援助成金、公共職業訓練(在職者訓練)等)、個人経由が25%(教育訓練給付)である。これを働く個人が主体的に選択可能となるよう、5年以内を目途に、効果を検証しつつ、過半が個人経由での給付可能となるようにし、在職者のリ・スキリング受講者の割合を高めていく、としている。

教育訓練給付制度は雇用保険制度に基づくもので、労働者個人の主体的選択による教育訓練への支援制度である。内容は幅広く、レベルに応じてさまざまなコースがある(**図13**)。

教育訓練の種類と給付率	対象講座の例
専門実践教育訓練 **最大で受講費用の70%** **［年間上限56万円］** を受講者に支給	**業務独占資格などの取得を目標とする講座** ・介護福祉士、看護師・准看護師、美容師、社会福祉士、歯科衛生士、保育士、調理師、精神保健福祉士、はり師　など **デジタル関係の講座** ・第四次産業革命スキル習得講座（経済産業大臣認定） ・ITSSレベル３以上のIT関係資格取得講座 **大学院・大学・短期大学・高等専門学校の課程** ・専門職大学院の課程（MBA、法科大学院、教職大学院　など） ・職業実践力育成プログラム（文部科学大臣認定）　など **専門学校の課程** ・職業実践専門課程（文部科学大臣認定） ・キャリア形成促進プログラム（文部科学大臣認定）
特定一般教育訓練 **受講費用の40%** **［上限20万円］** を受講者に支給	**業務独占資格などの取得を目標とする講座** ・介護支援専門員実務研修、介護職員初任者研修、特定行為研修、大型自動車第一種・第二種免許　など **デジタル関係の講座** ・ITSSレベル２の情報通信資格の取得を目標とする講座 など
一般教育訓練 **受講費用の20%** **［上限10万円］** を受講者に支給	**資格の取得を目標とする講座** ・輸送・機械運転関係（大型自動車、建設機械運転等）、介護福祉士実務者養成研修、介護職員初任者研修、税理士、社会保険労務士、Webクリエイター、CAD利用技術者試験、TOEIC、簿記検定、宅地建物取引士　など **大学院などの課程** ・修士・博士の学位などの取得を目標とする課程

図13　教育訓練給付の種類と対象講座例（出所：厚生労働省資料）

なかでも専門実践教育訓練は、労働者の中長期的キャリア形成に資する教育訓練が対象になり、受講費用の50%（年間上限40万円）が支給され、資格取得し、かつ訓練終了後1年以内に雇用保険の被保険者として雇用された場合は、受講費用の20%（年間上限16万円）が追加で支給される。在職者が利用しやすいように、夜間・土日通学のコースを設ける例（筑波大学法科大学院、神戸大学大学院のMBAのコース等）もある。指針では、専門実践教育訓練について、デジタル関係講座数を拡大し、生成AIなどの成長分野の講座の充実を図るとしている。

この専門実践教育訓練と特定一般教育訓練を受けるにあたっては、研修を受けたキャリアコンサルタント（国家資格）から訓練前キャリアコンサルティングを受けることが必要である。これは、教育訓練受講前に職務経歴の棚卸しや自己理解の促進、キャリア形成の方向付けを行って、希望する教育訓練が今後の職業生活における目標等に照らし、本人のキャリア形成に資するものであるかを考えるために行われている。

指針では、教育訓練給付に関し、高い賃金やエンプロイアビリティ（雇用される能力）が期待できる分野につき、補助率や補助上限の拡充を検討し、また、キャリアコンサルタントの役割の強化を図るとしている[注4]。雇用保険の被保険者である現職ビジネスマンには、まずもってこの制度をよく知り、賢く活用することが勧められる。転職を前提としなくとも、この制度を活用し、例えばMBA学位の取得やIT技術の向上を図れば、仕事の生産性が上がり、キャリア形成に資することが期待できる。

3 雇用の在り方とリ・スキリング

指針の中でリ・スキリングは、職務給(ジョブ型人事)、労働移動と関連して論じられている。日本の従来型の正社員の雇用契約は職務の限定のない企業のメンバーになるための契約(メンバーシップ契約) といえる。新規学卒者を一括採用し、自前で教育訓練するので、定年までの長期雇用・年功型処遇と結びつく。これに対し、日本以外の多くの国では、労働者が遂行すべき職務(ジョブ)が雇用契約に明確に規定される。ジョブ型の場合、そのジョブの水準を満たす人でないと雇用されないし、賃金についても契約で定める職務により決まる(ジョブに“値札”が付く)。

メンバーシップ型雇用の下、そこで必要とされる企業特殊的な仕事能力を評価した人事、報酬の仕組みは、従来は有効に機能してきた。しかし、海外を含めた競争の激化、デジタル技術等の進化による破壊的イノベーションが進む中、かつての名門大企業ですら“ゲームチェンジ”のリスクにさらされている。従業員の雇用の安定も絶対とはいえなくなった。

こうした中で、真剣に新しい事業に取り組もうとする企業の中には、すでに、従業員に対し、生き残りをかけて社内でDX関連を含めた教育プログラムを提供したり、大学院での学び直しを支援したりするなど、リ・スキリング投資を行っている好事例が見受けられる。筆者も、そうした企業の方から「リクルート作戦にも資する」という声を聞いた。会社に支援策があることは学生にとっても魅力的であろう。指針でも、ジョブ型人事導入に関し、リ・スキリングを含めた人材育成等に関するさまざまな企業の実例が示されている。

しかし、余力がない企業や基盤の弱い中小企業などに対し、従業員に市場価値を高めるような(転職リスクを伴う)リ・スキリングを提供することを期待するのは難しい面がある。この意味からも、会社に依存しない個人経由のリ・スキリング施策が拡充されることの意義は大きい。雇用保険の適用拡大も予定されており、教育訓練給付制度の活用も広がりうる(注4)。さらに、雇用保険の被保険者以外の人も受けることのできる求職者支援制度もある。働く一人ひとりにとって、長い人生で70歳まで同じ企業に勤め続けることは容易ではない。自分の生活の安定のために、外部労働市場でも通用する職業能力を高めることを意識し、行動する必要があるといえよう。

(注4) 雇用保険の適用対象拡大、教育訓練やリ・スキリングの支援の充実等を内容とする雇用保険法等の一部を改正する法律案が国会 (令和6年常会) に提出されている。教育訓練給付金について、給付率を受講費用の最大70%から80%に引き上げることとされている(**巻末資料8**参照)。

1　治療と仕事の両立の必要性

会社で働いている読者の皆様は、毎年受けている会社の定期健康診断（労働安全衛生法に基づく一般健康診断）の結果は、しっかりチェックしておられると思う。定期健康診断の実施結果の統計によると、脳・心臓疾患につながるリスクのある血圧や血中脂質などの有所見率は増加傾向にあり、2022年には58.3％であった(注5)。約６割の労働者が疾病のリスクを抱えていることになる。また、これらの疾病の有病率は年齢が上がるほど高くなる傾向にある。がんも年齢が高いほどり患者数が増える。

高齢化の進展に伴い、職場においても労働力の高齢化が進んでいく。高年齢者雇用安定法により65歳までの雇用確保措置が義務付けられ、さらに2021年４月からは70歳までの高年齢者就業確保措置が努力義務とされている。また、近年の診断技術や治療方法の進歩により、かつて不治の病とされた病気も、長く付き合う病気に変わりつつあり、通院しながら仕事を続けるのが珍しくなくなっている。かくして、今後、事業場における疾病を抱えた労働者の治療と仕事の両立支援への要請が重要性を増していく。

また、治療と仕事の両立のための環境整備への取り組みは、テレワークなど柔軟な働き方を可能にするような勤務制度や休暇制度の導入、仕事の進め方の見直し、社員の健康づくりにもつながる。病気を抱える労働者のみならず、全ての労働者にとってワーク・ライフ・バランスをとりやすい職場環境の形成に資することになる。

さらに近年、労働者の健康確保や疾病・障害を抱える労働者の活用に関する取り組みが、健康経営やダイバーシティ推進などの観点からも推奨され、労働者の安心感やモチベーションの向上による人材の定着・生産性の向上、組織としての社会的責任の実現といった意義も強調されている。読者の皆様には詳しい方も多いと思うが、基本的なことを改めて整理してみたい。

（注5）厚生労働省の令和４年定期健康診断実施結果（年次別）による。2000年は44.5％、2010年は52.5％。2022年分は、2022年10月の労働安全衛生規則の改正前後の有所見率を各期間で加重平均した推計値。

2　好事例に学ぶ

治療と仕事の両立の取り組みを進めるため、厚生労働省はガイドラインを作成し、ホームページ（https://chiryoutoshigoto.mhlw.go.jp）に参考資料、シンポジウムの動画、好事例などのコンテンツを掲載している。現場で工夫された好事例は貴重なノウハウといえる。これらを参考に、大いに有効と考えることを列挙してみた。

①　経営者が、社員の健康確保が会社にとって重要だと経営方針で宣言し、さまざまな場

面で話題・議題にする。治療と仕事の両立支援の基本方針、具体的な対応方法等のルールを作成し、それを文書配布、イントラネット掲載、研修等で周知する。また労働安全衛生や健康経営に関する公的な評価や認証（表彰、健康経営優良法人認定等）を得る。

⇒経営者が本気だということを示し、両立を実現しやすい職場風土を形成する。

② 労働者が安心して相談・申し出ができる相談窓口を設け、相談・申し出が行われた場合の情報の取り扱いを明確にし、利用方法を周知する。

⇒社員が安心して相談できる環境をつくり、熟練した担当者を配置し、社員が気軽に相談できるようにする。

③ 治療しながら柔軟に働ける制度（テレワーク、時差出勤、フレックスタイム、短時間勤務、時間単位年次有給休暇など）を設ける。

⇒こうした制度をリ・スキリングなどの自己都合でも利用できる場合、治療との両立でも気兼ねなく使いやすいようだ。

④ 入院治療や通院のために、年次有給休暇とは別に病気休暇制度、休職制度を設ける。

⇒社員の安心感が高まる。

⑤ 治療中の社員に対し、就業中の配慮（休憩室、保健室の利用、頻回なトイレ等）を行う。

⇒病気により、就業中の服薬や注射、休憩が必要な場合がある。

⑥ 治療中の社員本人を中心に、企業（人事労務担当者、上司・同僚等、産業医や産業保健スタッフ）、主治医・医療機関の三者の連携が不可欠であり、本人の同意を得た上で支援のために必要な情報を共有し、連携、支援する体制をつくる。情報のやりとりを行うための様式例もガイドラインに掲載されている。

⇒事業場内外の関係者が適切なコミュニケーションをとることが特に重要。

⑦ 休職を経て復職する社員の職場復帰支援プランを策定し実行する。プラン策定にあたっては、産業医や看護師等産業保健スタッフ、主治医と連携する医療ソーシャルワーカー、看護師等や、地域の産業保健総合支援センター、社会保険労務士等の支援を受けることも考えられる。また必要に応じてプランや就業上の措置、治療に対する配慮の内容を見直す。

⑧ 法定の健康診断を定期的に実施する。さらに、がん検診、人間ドックなどの受診についても、積極的に受けられるよう時間的・金銭的に配慮する。

⇒これにより病気を早期発見できれば、その後の治療による身体への負担と仕事への影響を少なくできる可能性がある。社員の健康への関心を高めるのにも役立つ。

⑨ 健康情報を含む個人情報の取り扱いについてルールを設ける。両立支援のためには、症状、治療の状況等の情報が必要となるが、これらは機微な個人情報であり、取り扱う者の範囲や第三者への漏えいの防止も含めた適切な情報管理体制の整備が必要である。

⑩ 制度や体制の整備等の環境整備に向けた検討を行う際には、衛生委員会で調査審議し、また労働組合も関与するなど、労使や産業スタッフの連携が重要である。

⇒社員の意見が反映され、施策が浸透しやすい。

3　さまざまな支援についての情報と留意事項

治療と仕事の両立が必要となった場合、仕事との関連以外にも、医療費、生活費などの経済面、メンタルヘルス面などさまざまな心配事がありうる。健康保険からの傷病手当金さえも知らない人が多いようだ。これらについての情報提供が必要であり、また制度を設けるだけでなく、実際に利用しやすくする運用面での配慮も重要である。

会社が支援するにあたっても、さまざまな専門知識、ノウハウが必要で、管理職や相談窓口担当者に十分な研修を行うことも大切である。関連する制度や機関についての情報や、がん、脳卒中など代表的な病気についての留意事項もガイドラインに掲載されている。病気に関する情報はネット上に多々あるが、信頼できる情報であるかが重要。ガイドラインにサイトも掲載されているので、参考にしていただきたい。

中小企業の事業主の方も、ぜひ産業保健総合支援センターの力を借りつつ、できるところから取り組んでいただきたいと思う。病気は誰にでも起こりうることなので、会社が治療と仕事との両立を含め従業員の健康に配慮しており、そのことを会社の内外に発信することは、**図14**にもあるように、従業員の雇用と定着に大いに役立つことが期待できる。

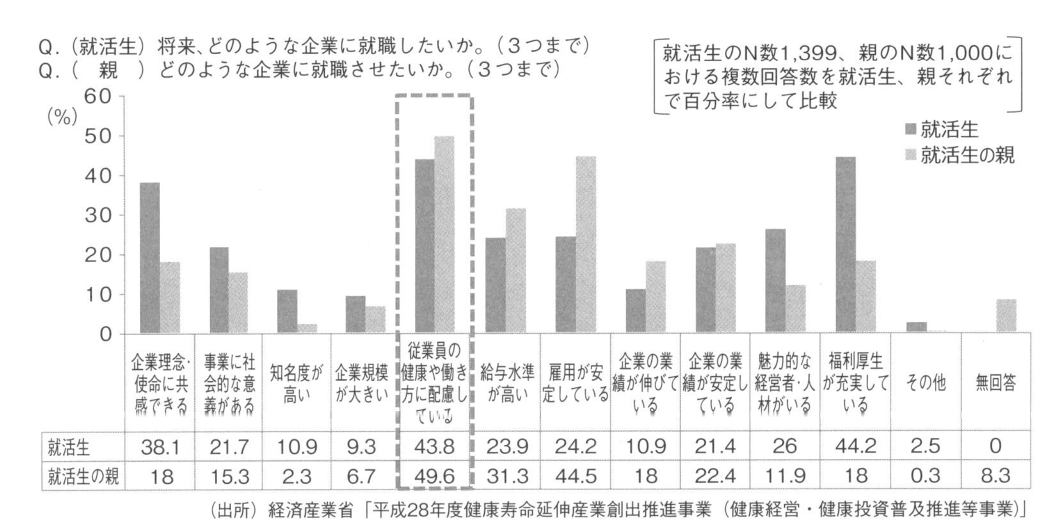

	企業理念・使命に共感できる	事業に社会的な意義がある	知名度が高い	企業規模が大きい	従業員の健康や働き方に配慮している	給与水準が高い	雇用が安定している	企業の業績が伸びている	企業の業績が安定している	魅力的な経営者・人材がいる	福利厚生が充実している	その他	無回答
就活生	38.1	21.7	10.9	9.3	43.8	23.9	24.2	10.9	21.4	26	44.2	2.5	0
就活生の親	18	15.3	2.3	6.7	49.6	31.3	44.5	18	22.4	11.9	18	0.3	8.3

（出所）経済産業省「平成28年度健康寿命延伸産業創出推進事業（健康経営・健康投資普及推進等事業）」

図14　就職先に望む勤務条件（出所：令和3年12月1日　健康・医療新産業協議会　第4回健康投資WG資料）

第9 年収の壁について

1 年収の壁

パートやアルバイトで働く人が、税金や保険料を意識して働く時間を抑えるという、いわゆる「年収の壁」問題が話題になっている。

第2で取り上げた「新しい資本主義のグランドデザイン及び実行計画2023年改訂版」でも、三位一体の労働市場改革の関連で、男女ともに働きやすい環境の整備として「いわゆる106万円・130万円の壁を意識せずに働くことが可能となるよう、短時間労働者への被用者保険の適用拡大や最低賃金の引上げに取り組むことと併せて、被用者が新たに106万円の壁を超えても手取りの逆転を生じさせないための当面の対策を本年中に決定した上で実行し、さらに、制度の見直しに取り組む」とされている。

女性労働者の約半数は短時間勤務である(注6)。働く日数や時間数は各人のワーク・ライフ・バランスにおいて極めて重要なので、この問題を取り上げる。

(注6) 2022年の非農林業の女性の雇用者数(休業者を除く)2625万人のうち、週就業時間が35時間未満の短時間雇用者は1275万人で48.6%を占める。(厚生労働省「働く女性の実情」令和4年版より)

2 社会保険の適用と扶養

106万円の壁が近年注目されている背景には、短時間労働者への被用者保険(厚生年金、健康保険)の適用拡大がある。

表6の(注1)にあるように、従来は1週間の所定労働時間または1カ月の所定労働日数が通常の労働者の4分の3以上の人が被用者保険の適用対象であったが、法改正により、現在は従業員101人以上の企業では、週の所定労働時間が20時間以上、契約上の月額賃金が8.8万円(年収換算で105.6万円)以上で、学生ではなく2カ月以上の雇用の見込みがあるとの条件を満たす場合には適用される。

この条件に該当すれば、夫(妻)の被用者保険の扶養に入っていた妻(夫)(国民年金の第3号被保険者)の場合、自身が被用者保険の被保険者となり、保険料を新たに負担することになり手取りが減る。これが「106万円の壁」である。該当しなければ、従来どおり国民年金の第3号被保険者として基礎年金は負担なしに受け取れ、医療では家族として健康保険も使えるので、新たな保険料負担を避けるために労働時間を減らす人が相当数いる。その人にとっては「本当はもっと働きたいのに、働けない」状況となる。

2024年10月からは、適用対象の従業員規模が51人以上に拡大される。さらに近年、最低賃金の上昇幅が以前より大きくなっている。地域別最低賃金は、例年10月ごろに改定額が適用されている。最低賃金の上昇がパートの人の時給に影響して「壁」を超えることがあるため、外食、小売りなどのサービス業で、忙しい年末にパートの人の就業調整で業務運

表6　社会保険（健康保険・厚生年金保険）の適用
（出所：厚生労働省パンフレット「パートタイム・有期雇用労働法のあらまし」）

<table>
<tr><td rowspan="2">資格要件</td><td>所定労働時間</td><td rowspan="2">1週間の所定労働時間および1か月の所定労働日数が通常の労働者の4分の3以上である者（(注1)に該当する短時間労働者を含む）</td><td colspan="3">1週間の所定労働時間又は1か月の所定労働日数が通常の労働者の4分の3未満である者（(注1)に該当する短時間労働者を除く）</td></tr>
<tr><td>年収</td><td colspan="2">原則として年収が130万円（180万円（注2））未満</td><td>原則として年収が130万円(180万円(注2))以上</td></tr>
<tr><td rowspan="2">適用</td><td>医療保険</td><td>健康保険等被用者保険の被保険者</td><td>（家族が健康保険等被用者保険に加入している場合）健康保険等被用者保険の被扶養者</td><td>（家族が健康保険等被用者保険に加入していない場合）国民健康保険の被保険者</td><td>国民健康保険の被保険者</td></tr>
<tr><td>年金</td><td>厚生年金保険の被保険者（国民年金の第2号被保険者）</td><td>（配偶者が厚生年金保険の被保険者の場合）国民年金の第3号被保険者</td><td>（配偶者が厚生年金保険の被保険者でない場合）国民年金の第1号被保険者</td><td>国民年金の第1号被保険者</td></tr>
</table>

（注1）1週間の所定労働時間および1か月の所定労働日数が通常の労働者の4分の3以上である者に社会保険（健康保険・厚生年金保険）が適用されます。また、4分の3未満であっても、①週の所定労働時間が20時間以上であること、②月額賃金が8.8万円以上であること、③勤務期間が2ヶ月を超えて見込まれること（※）、④学生ではないこと、⑤従業員数100人超の企業に使用されていること（100人以下の企業でも労使合意があれば適用対象となる）（※）の5つの条件を満たす場合には、社会保険に加入することとなります。
（※）年金制度の機能強化のための国民年金法等の一部を改正する法律が令和2年6月5日に公布され、
・勤務期間（1年）要件の撤廃（令和4年10月施行）
・企業規模要件の段階的な引下げ（500人超→100人超→50人超）
（500人超から100人超は令和4年10月に施行済、100人超から50人超は令和6年10月施行）を行うこととなりました。
（注2）認定対象者が60歳以上である場合（医療保険のみ）、又は、おおむね厚生年金保険法による障害厚生年金の受給要件に該当する程度の障害者である場合。

営に苦労するという話をよく聞く。

また、現在、従業員が100人以下の企業でパート勤務の場合、年収が130万円以上になると、被用者保険の被保険者である配偶者の扶養から外れ、配偶者の被扶養者としての保険給付を受けられなくなる。一方で、**表6**のとおり、通常の被用者保険加入基準であるフルタイムの人の4分の3以上の日数・時間働いていない場合は、自身は被用者保険に加入できない。結局、自分で保険料を払って国民年金、国民健康保険に加入することになる。その負担額は大きく、他方で将来の厚生年金受給はなく、保障内容に変化はない。これが「130万円の壁」である。

厚生労働省の調査によると、配偶者がいる女性のパートタイム労働者のうち、21.8%が就業調整しており、その理由は「一定額（130万円）を超えると配偶者の健康保険、厚生年金保険の被扶養者からはずれ、自分で加入しなければならなくなるから」が57.3%、「一定の労働時間を超えると雇用保険、健康保険、厚生年金保険の保険料を払わなければならないから」が21.4%である（**表7**）。

一方で、シングルマザーやフリーターなど独身の短時間勤務者にとっては、被用者保険の適用拡大により、加入できるメリットは大きい。週20時間以上勤務する短時間労働者にとって、勤め先の企業の規模によって被用者保険の適用に違いが生まれる状況は解消すべきであり、企業規模要件の速やかな撤廃が望まれる。

表7 就業調整の理由別パートタイム労働者の割合（厚生労働省 第４回社会保障審議会年金部会 資料３ より引用）

	就業調整をしているパートタイム労働者計	就業調整の理由（複数回答）								不明
		自分の所得税の非課税限度額（103万円）を超えると税金を払わなければならないから	一定額を超えると配偶者の税制上の配偶者控除が無くなり、配偶者特別控除が少なくなるから	一定額を超えると配偶者の会社の配偶者手当がもらえなくなるから	一定額（130万円）を超えると配偶者の健康保険、厚生年金保険の被扶養者からはずれ、自分で加入しなければならなくなるから	一定の労働時間を超えると雇用保険、健康保険、厚生年金保険の保険料を払わなければならないから	会社の都合により雇用保険、健康保険、厚生年金保険の加入要件に該当しないようにしているため	現在、支給されている年金の減額率を抑える又は減額を避けるため	その他	
総数	100.0% [15.9%]	46.1%	28.3%	12.1%	44.6%	18.8%	3.4%	1.9%	15.8%	1.1%
配偶者がいる女性	100.0% [21.8%]	49.6%	36.4%	15.4%	57.3%	21.4%	1.3%	0.7%	6.6%	0.1%

（注）［ ］は、パートタイム労働者計を100とした就業調整をしている労働者の割合である。総数には配偶者の有無不明が含まれる。
（注）令和３年10月１日現在の状況を調査。調査対象は、５人以上の常用労働者を雇用する事業所に雇用されるパートタイム労働者及び有期雇用労働者。
（出所）厚生労働省「令和３年パートタイム・有期雇用労働者総合実態調査」

3 制度をよく理解すること

就業調整に関連して、短時間で働く人に、制度をもっとよく理解してもらう必要があるだろう。目先の手取りの減少に目が行きがちであるが、将来の給付や保障についても十分考える必要がある。厚生年金・健康保険とも、保険料の負担はあるが、半分は会社負担である。厚生年金に加入すると、年金が２階建てになり保障が広がる。将来、基礎年金に加えて老齢厚生年金を終身もらえるだけでなく、障害と認定されれば障害厚生年金も受け取れる。障害厚生年金は障害基礎年金よりも支給額が手厚く、基礎年金にはない等級の「３級」もあり、認定の範囲が広くなる。遺族厚生年金もある。

健康保険等の被用者保険では、私傷病の休業の際は「傷病手当金」、産休期間中は「出産手当金」が用意され、給与の３分の２相当が支給される。このように、保障範囲が広くなり、生活の安定につながるメリットが大きいことも考慮すべきである。また、パート勤務の人も、所定労働時間が20時間以上で、引き続き31日以上雇用されることが見込まれれば、一般被保険者として雇用保険の適用を受ける。失業したときの給付のほか、育児休業の際には「育児休業給付金」、介護休業には「介護休業給付金」を受給できる。第７で取り上げたリ・スキリングに活用できる「教育訓練給付金」も用意されている。

4　今後の方向性

厚生労働省は、パート・アルバイトで働く人が年収の壁を意識せずに働ける環境づくりを後押しすべく、2023年10月から「年収の壁・支援強化パッケージ」を適用している。

106万円の壁への対応としては、キャリアアップ助成金に「社会保険適用時処遇改善コース」を設け、また130万円の壁への対応は、残業により一時的に130万円以上となっても事業主の証明により引き続き被扶養者認定が可能となる仕組みを作った。これらは、次期年金制度改正までの当面の策である。厚生労働省の資料参照（**巻末資料9**）。

1985年の法改正で第3号被保険者制度が設けられた頃は、サラリーマンと専業主婦の世帯が多かったため、その生活の安定のため主婦の収入が一定以内なら年金や医療の保険料を払わなくても給付を受けられるようにした。今は女性の労働環境が大きく変わり、雇用者の世帯では共働き世帯が専業主婦世帯の2倍を超えている。所定労働時間に関し雇用保険の適用対象を拡大（被保険者の要件のうち、週所定時間を「20時間以上」から「10時間以上」に変更）する法律案が国会に提出されており（**巻末資料8**）、次期年金制度の改正時にはこれも参考にして、各人が働きたいだけ働いて保険料を納め、スキルを磨いて活躍し、自立度を高めていけるような制度にするべきと考える。

第10　2023年度の最低賃金の引き上げ

1　地域別最低賃金の決め方

2023年（令和５年）10月から各都道府県において地域別最低賃金が引き上げられた。2023年は引き上げ額が特に大きく、話題になった。仕事と生活、働き方に影響を受ける人が少なくない問題なので、ここでは最低賃金について取り上げる。

最低賃金制度とは、最低賃金法に基づき国が賃金の最低額を定め、使用者は、その最低賃金額以上の賃金を労働者に支払わなければならないとする制度である。最低賃金額より低い賃金を労使合意の上で定めても、それは法律により無効とされ、最低賃金額と同額の定めをしたものとみなされる。最低賃金には、産業に関わりなく地域内の全ての労働者に適用される都道府県別の「地域別最低賃金」と、特定の産業に働く労働者に適用される「特定最低賃金」の２種類あり、ここでは地域別最低賃金について論じる。

地域別最低賃金は、最低賃金審議会（公労使の三者構成）において、賃金の実態調査結果など各種統計資料を参考にしながら審議が行われ、最低賃金法第９条第２項により、①労働者の生計費、②労働者の賃金、③通常の事業の賃金支払い能力の３要素を考慮して定められる。

全国的な整合性を図るため、毎年、厚生労働省に置かれた中央最低賃金審議会から都道府県労働局に置かれた地方最低賃金審議会に対し、金額改定のための引き上げ額の目安が示される。地方最低賃金審議会はその目安を参考にしながら地域の実情に応じた最低賃金額の改正のための審議を行い、その意見を聴いて都道府県労働局長が決定する。

2　令和5年度地域別最低賃金額改定の目安

中央最低賃金審議会は、2023年７月28日に公益委員見解として令和５年度の引き上げ額の目安の金額（**表８**参照）を提示した。その論拠は、おおむね以下のとおりである[注7]。

①　賃金については、春季賃上げ妥結状況における賃金引き上げ結果が30年ぶりの高水準。今年度の賃金改定状況調査結果第４表①②における賃金上昇率も平成14年以降で最大。

②　通常の事業の賃金支払い能力については、企業の利益や業況は昨年から改善傾向にある。中小企業等でコスト上昇分の転嫁につき二極化が進行し、エネルギーコストや労務費コストの価格転嫁が十分でないことから、賃上げ原資の確保が難しい企業も多く存在する。

また第４表と春季賃上げ妥結状況の差からも、小規模事業者は賃金支払い能力が相対的に低い可能性がある。最低賃金は、企業の経営状況にかかわらず、労働者を雇用する全ての企業に適用され、下回れば罰則の対象となるので引き上げ率には一定の限界がある。

表8　令和5年度　地域別最低賃金　答申状況
（厚生労働省発表資料を基に加工・作成）

都道府県名	ランク	目安額	答申された改定額【円】	（カッコ内は改定前）	引き上げ額【円】	目安差額
北海道	B	40	960	(920)	40	
青　森	C	39	898	(853)	45	+6
岩　手	C	39	893	(854)	39	
宮　城	B	40	923	(883)	40	
秋　田	C	39	897	(853)	44	+5
山　形	C	39	900	(854)	46	+7
福　島	B	40	900	(858)	42	+2
茨　城	B	40	953	(911)	42	+2
栃　木	B	40	954	(913)	41	+1
群　馬	B	40	935	(895)	40	
埼　玉	A	41	1028	(987)	41	
千　葉	A	41	1026	(984)	42	+1
東　京	A	41	1113	(1072)	41	
神奈川	A	41	1112	(1071)	41	
新　潟	B	40	931	(890)	41	+1
富　山	B	40	948	(908)	40	
石　川	B	40	933	(891)	42	+2
福　井	B	40	931	(888)	43	+3
山　梨	B	40	938	(898)	40	
長　野	B	40	948	(908)	40	
岐　阜	B	40	950	(910)	40	
静　岡	B	40	984	(944)	40	
愛　知	A	41	1027	(986)	41	
三　重	B	40	973	(933)	40	
滋　賀	B	40	967	(927)	40	
京　都	B	40	1008	(968)	40	
大　阪	A	41	1064	(1023)	41	
兵　庫	B	40	1001	(960)	41	+1
奈　良	B	40	936	(896)	40	
和歌山	B	40	929	(889)	40	
鳥　取	C	39	900	(854)	46	+7
島　根	B	40	904	(857)	47	+7
岡　山	B	40	932	(892)	40	
広　島	B	40	970	(930)	40	
山　口	B	40	928	(888)	40	
徳　島	B	40	896	(855)	41	+1
香　川	B	40	918	(878)	40	
愛　媛	B	40	897	(853)	44	+4
高　知	C	39	897	(853)	44	+5
福　岡	B	40	941	(900)	41	+1
佐　賀	C	39	900	(853)	47	+8
長　崎	C	39	898	(853)	45	+6
熊　本	C	39	898	(853)	45	+6
大　分	C	39	899	(854)	45	+6
宮　崎	C	39	897	(853)	44	+5
鹿児島	C	39	897	(853)	44	+5
沖　縄	C	39	896	(853)	43	+4
全国加重平均			1004	(961)	43	

※今年度の全国加重平均額の引上げ額には、労働者数の更新による影響分（1円）が含まれている

③　労働者の生計費については、足元の消費者物価指数は、時限的なエネルギー価格の負担軽減策により上昇率が押し下げられているが、対前年同月比4％前後と高水準。消費者への価格転嫁が進みつつある。最低賃金に近い賃金水準の労働者の購買力を維持する観点から、最低賃金が消費者物価を一定程度上回る水準である必要がある。2022年の改定後の最低賃金額が発効した10月から2023年6月までの消費者物価指数の対前年同期比は4.3%と、2022年度の全国加重平均の最低賃金の引き上げ率（3.3%）を上回る高い伸び率であることも踏まえるのが適当。

これらを総合的に勘案し、賃上げの流れの維持・拡大を図り、非正規雇用労働者や中小企業にも波及させることや、賃金の低廉な労働者について賃金の最低額を保障してその労働条件の改善を図り、国民経済の健全な発展に寄与するという制度の目的に留意すると、目安額は4.3%を基準として検討することが適当。

また、都道府県の経済実態に応じた各ランク（A・B・C）の目安額は、地域間格差への配慮の観点から地域別最低賃金の最高額に対する最低額の比率を引き続き上昇させていくことが必要である。

（注7）参照データ等を含め、中央最低賃金審議会資料として厚生労働省ホームページに掲載されている資料を基に記述。

3 地方最低賃金審議会の判断

中央最低賃金審議会が示す目安は、地方最低賃金審議会の審議決定を拘束するものではなく、地域の経済・雇用の実態を見極めつつ、自主性を発揮することが期待されている。その際、今年度の目安額は、賃金が消費者物価を一定程度上回る水準である必要があること、地域間格差の是正を引き続き図ることを考慮したことに配意することとされた。実際、これを基本に、近隣の県の状況も見ながら、さまざまな要因を考慮して決定することになる。

地方においては、全国最下位は避けたいという思いも働くと聞く。今回は目安の上げ幅が大きかったうえに、24県が目安を上回り、潮目が変わった感がある。佐賀はなんと、目安を8円上回る47円の引き上げである。全国加重平均額43円の引き上げは、目安制度が始まって以降、最高額である。

この背景には、地方における人口減少、特に若年層の流出が深刻であり、地域の活性化のためにも賃金を上げていく必要性が意識されているようだ。この結果、影響率（最低賃金額を改正した後に、改正後の最低賃金額を下回ることとなる労働者割合）が大きくなるところも多いであろう（注8）。

（注8）「令和4年最低賃金に関する基礎調査」（事業所規模30人未満（製造業等は100人未満）を対象）によると、令和4年の加重平均31円引き上げ額でも各ランク計の影響率は19.2%だった。

4 最低賃金制度のこれから

2023年度の目安は、3要素のうち労働者の生計費を重視し、最低賃金が消費者物価を一定程度上回る水準とする必要があることを考慮している。労働者の生活水準の維持・向上のためには当然の要請だが、賃金を上げるには、原資を確保するために生産効率を上げ、また競争力のある付加価値の高い製品・サービスを工夫して提供していかなければ、経営を維持できない。事業主の経営戦略が試される。影響を受ける中小企業・小規模事業者の生産性向上のための助成金も用意されており、その拡充や労務費等の価格転嫁対策への取り組みも政府に要請されている（注9）。

労働者も、仕事能力を高めるとともに、主体的にリ・スキリングを行い、場合によっては転職して相当の賃金を確保できるように努力することが望ましい。各地域においても魅力ある雇用の場を提供できる事業主がいなければ、若い人が去り、衰退を余儀なくされる。生産年齢人口が減少する中、賃金水準に関わる法規制である最低賃金制度は、働く人の、企業の、地域ひいては国の活力を取り戻すための生存戦略の一環としての役割が期待されてきているといえるかもしれない。

（注9）新しい資本主義のグランドデザイン及び実行計画2023改訂版に「こうした取組（価格転嫁対策等）と生産性向上支援の取組を通じて、地域の人手不足対策や、働く個人が安心して暮らすことができる最低賃金の引上げを実現する。これらの改革に、官民を挙げて、大胆に取り組むことを通じて、国際的にも競争力のある労働市場を作っていく」旨、記載されている。

1　介護を要する人の増加

世界有数の長寿国である日本において、介護は重要な国民的課題となっている。働く人が仕事との両立で苦労する要因として、介護は育児と並んで重要である。

加齢による介護ニーズに対応するための介護保険制度が2000年４月に始まり、要介護または要支援と認定された人は、保険給付として介護のサービスを受けられるようになった。筆者は介護保険開始前後の時期に厚生省（現・厚生労働省）に出向して、介護保険の担当課長の一人として関与した。新たな社会保険の創設であり、厚生省、都道府県、市町村において膨大な調整・事務作業を要した大事業であった。

制度創設から24年が経過した。創設当初と2022年３月末の65歳以上の被保険者、要介護（要支援）認定者、サービス利用者数の比較は、**表９**のとおりである。

介護保険開始直後の頃、筆者は民間の在宅介護の事業者から「利用者に、会社の車は自宅の前ではなく、少し離れた所に止めてほしいとよく言われる」との声を聞いた。特に地方では、親の介護を業者に依頼していることを近所に知られたくない人がいたのだ。今では、普通の会話で要介護度が話題になるなど、制度は定着してきている。

年齢階級別の要介護認定率を見ると、年齢が上がるにつれて上昇し、75歳以上全体の認定率は31.5%、85歳以上全体の認定率は57.7%に達する（**図15**）。また、令和３年度の簡易生命表の資料によると、女性の場合は90歳まで生存する人の割合は52%である。独身者や共働き世帯が増え、兄弟姉妹の数が減っており、老親の介護は中高年労働者の多くが直面する問題だといえる。

家族の介護や看護を理由とした離職者数は、2021年10月から2022年９月の１年間で約

表９　制度開始時と2022年３月末の介護保険制度の対象者、利用者の比較
（出所：厚生労働省 社会保障審議会介護保険部会（第105回）参考資料３）

①65歳以上被保険者の増加

	2000年4月末		2022年3月末	
第1号被保険者数	2,165万人	⇒	3,589万人	1.7倍

②要介護（要支援）認定者の増加

	2000年4月末		2022年3月末	
認定者数	218万人	⇒	690万人	3.2倍

③サービス利用者の増加

	2000年4月末		2022年3月末	
在宅サービス利用者数	97万人	⇒	407万人	4.2倍
施設サービス利用者数	52万人	⇒	96万人	1.8倍
地域密着型サービス利用者数	−		89万人	
計	149万人	⇒	516万人※	3.5倍

（出典：介護保険事業状況報告令和４年３月および５月月報）

※　居宅介護支援、介護予防支援、小規模多機能型サービス、複合型サービスを足し合わせたもの、ならびに、介護保険施設、地域密着型介護老人福祉施設、特定施設入居者生活介護（地域密着型含む）、および認知症対応型共同生活介護の合計。在宅サービス利用者数、施設サービス利用者数および地域密着型サービス利用者数を合計した、延べ利用者数は592万人。

10.62万人。女性の離職者が約８万人を占めるが、男性の離職者も約４分の１となっている（総務省「令和４年就業構造基本調査」）（**図16**）。離職すると、その後以前と同様の処遇での就職は通常難しく、経済状態が悪くなると自分の介護の際に子に負担がかかることになる。仕事との両立が重要である。

実際に、家族の介護をしながら就業する人の数は、2012年の291.0万人から2022年の364.6万人に大幅に増えている（就業構造基本調査）。ビジネスケアラーという言葉もよく使われるようになった。かくして介護の負担による社員の生産性低下を防ぎ、十分に仕事ができるように支援することが企業の経営戦略の一つとされるようになり、経済産業省が全ての企業に知ってもらいたい介護両立支援のアクションとして「仕事と介護の両立支援に関する経営者向けガイドライン」を策定している。

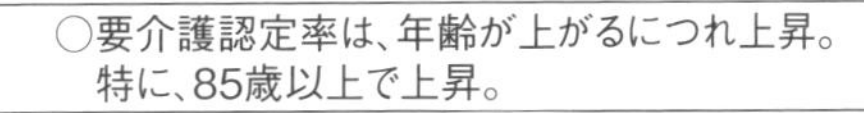

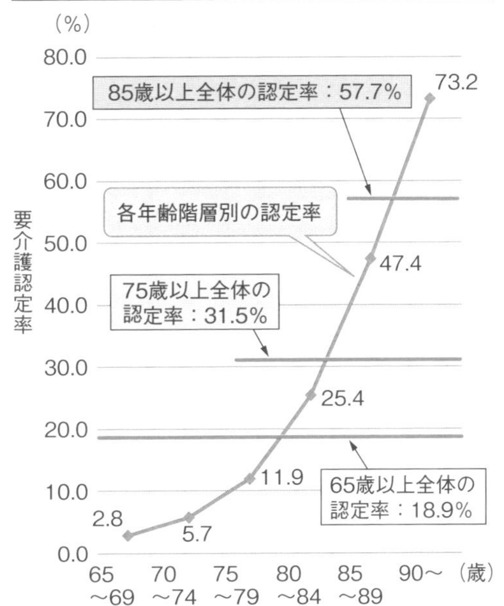

図15　年齢階級別の要介護認定率
（出所：厚生労働省 社会保障審議会介護保険部会（第107回）参考資料1-2）

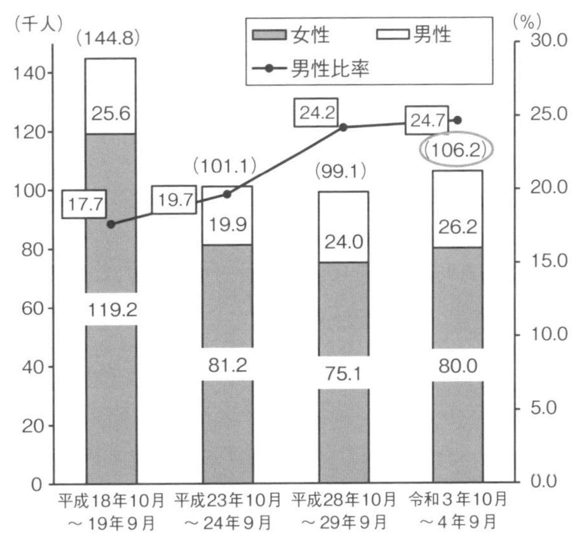

図16　家族の介護・看護を理由とする離職者数の推移
（出所：厚生労働省　第67回労働政策審議会雇用環境・均等分科会　参考資料1-2）

2　育児と介護の違い

仕事との両立では、介護は家族の世話という面では育児と共通するが、育児の場合は前もって育児休業取得の時期や期間を段取りでき、子の成長とともに職場復帰できる。若い時期なら業務の代替も行いやすく、キャリア形成の上でも挽回しやすい。他方、介護の場合は突発的にその責任が生じ、本人も会社も計画的に準備ができないことがよくある。介護を要する期間や状況も多様で、個別のケースに応じた対応が必要になる。

また、介護の場合、社員が上司に話したがらず、人事部門でも把握しにくいということをよく聞いた。社員は介護の見通しがはっきりしないとか、キャリアへの影響が気になって言い出しにくいことが少なくない。中高年の管理職で昇進を控えている場合など、選ばれる人の方が少ない競争では特に、「介護で急に休むかもしれない」といった要因は不利になる…との危惧がそうさせるようだ。出世に影響することは会社に知られたくない、個人的に処理したいと思う人もいる。こうした事情を踏まえて、会社が外部の介護の専門機関と契約してそこを相談窓口の一つとし、社員が相談しやすくしている例もある。

3　介護休業制度の活用

育児・介護休業法により、介護休業は対象家族一人につき通算93日まで取得でき、分割して複数回、取得できるようになるなど、制度は充実してきた。「それでは短い」との声もあるが、介護休業制度は元来、「労働者が就業を継続するため、少なくとも介護に関する長期的方針を決めるまでの間、当面家族による介護がやむを得ない期間について休業することができるようにすることが必要」という観点から規定されたものであり、これで介護の期間全てをカバーすることは想定していない。

例えば、親が脳疾患等で倒れて介護が必要になる場合では、入院中にまず誰がどのように介護するかについて親族で話し合う必要がある。退院に当たり、MSW（医療ソーシャルワーカー）の支援を受けて、リハビリや介護のための施設等を紹介してもらうこともできる。特別養護老人ホームに入所できれば労力も経費も助かるが、都会では希望者が多く、入所は容易ではない。在宅での介護は食事、排泄、入浴の世話、病院への付き添いなどで、介護事業者のサービスを利用しても家族の負担はかなり大きい。

4　両立のためのポイント

介護と仕事の両立のためには、介護を一人で抱え込まないことが大切である。まず地域包括支援センターに相談し、介護保険給付をはじめ、地域支援事業など利用できる各種サービスを上手に活用する。良いケアマネジャーを選び、よく相談してケアプランを作成してもらい、事業者と契約する。

また、親の介護の経費は親自身の財産で賄うのが基本だが、難しければ兄弟でお金や労力を応分に分担する。また、上司にも家族の介護を行っていることを伝えておき、必要に応じて会社の仕事と介護の両立支援制度を適切に使う。介護休業は、このようにさまざまな調整をして体制をつくるために活用すべきものといえる。

実際に、事業者の介護が適切になされているかに目配りすることも大切である。症状が急に悪化することもあり、そのたびに入院等の対応が必要になる。認知症の場合には、成年後見が必要な場合がある。筆者も経験したが、煩雑で心身に負担のかかる家庭のプロジェクトなのだ。地域包括支援センター、ケアマネジャー、サービスを提供してくれる人、医師やMSWと日頃から良い関係を築くことが大事だ。介護が何年も続くことも多い。長丁場に備え、良質の介護をマネジメントしていく心構え、知識、才覚が必要である。それとともに、自分が燃え尽きないように、ショートステイの活用などで息抜きすることも心がける。

従業員は将来の介護が不安でも、日常の仕事に追われて、介護保険等の基本知識が不十分な場合が多い。また、個人の介護についての事情は微妙なプライバシーでもある。

職場の支援策としては、休業等の制度の充実も重要だが、基本的な情報提供、例えば専門家に依頼して従業員向けに介護保険セミナーを開催する、気軽に相談できる窓口を設ける、会社の介護支援制度の冊子を作成して配る、等の取り組みが役に立ち、喜ばれる。両立のために転勤についての配慮やリモート勤務を認める例もある。また、制度を円滑に利用するには管理職の支援の姿勢が不可欠なので、研修などで徹底するべきである。もちろん、経営者が両立支援の方針を明確に示すことが特に重要である。

国会（令和６年常会）に提出されている育児・介護休業法及び次世代育成支援対策推進法の一部を改正する法律案では、仕事と介護との両立支援制度等に関する早期の情報提供や雇用環境の整備（労働者への研修等）を事業主に義務付けるなど、両立支援制度の強化等について措置を講ずることとしている（**巻末資料7**参照）。厚生労働省、経済産業省のホームページ[注10]には、好事例をはじめさまざまな情報やツールが掲載されているので、参考にされるとよいと思う。

（注10）厚生労働省「仕事と介護の両立　～介護離職を防ぐために～」https://www.mhlw.go.jp/stf/seisakunitsuite/bunya/koyou_roudou/koyoukintou/ryouritsu/index.html
経済産業省「介護政策」https://www.meti.go.jp/policy/mono_info_service/healthcare/kaigo/kaigo.html

第12 高年齢者の働き方

1 高年齢者雇用の現状

わが国では少子高齢化が急速に進んでおり、総務省が公表した2023年10月1日現在の人口推計によると、総人口1億2,435万2千人（前年比59万5千人減）、うち65歳以上人口は3,622万7千人（同9千人減）で、総人口に占める割合は29.1%と過去最高となっている（**図17**）。今後は生産年齢人口の減少が大きな問題となる。現に地方においては、若年層が減少し、運転手不足で地域のバスが減便を余儀なくされるなど、すでに影響が出ている場所も少なくない。

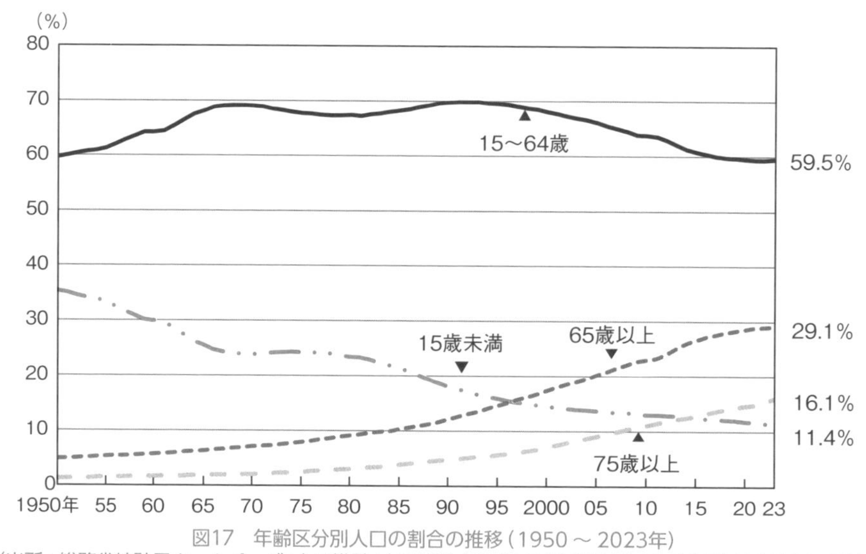

図17 年齢区分別人口の割合の推移（1950～2023年）
（出所：総務省統計局ホームページ/人口推計/人口推計（2023年（令和5年）10月1日現在）結果の要約）

こうした状況の中で、社会・経済の活力を維持していくためには、働き手を確保する必要がある。また、将来の生活の安定のために働きたいと考える高年齢者も増えており、高年齢者でも能力や経験を活かして働き続けることのできる環境の整備が従来以上に要請されている。ここでは高年齢者の働き方について取り上げる。

この環境整備の一環として、働く意欲がある高年齢者がその能力を十分発揮できるよう70歳までの就業機会の確保を事業主の努力義務とすることなどを内容とする高年齢者雇用安定法の改正が行われ、2021年4月から施行されている。

厚生労働省の2023年「高年齢者雇用状況等報告」によると、従来の義務である65歳までの高年齢者雇用確保措置を実施済みの企業は99.9%。一方、新たな努力義務の70歳までの高年齢者就業確保措置を実施済みの企業は29.7%（中小企業では30.3%、大企業では22.8%）である。また、66歳以上まで働ける制度のある企業は43.3%（中小企業では43.5%、大企業では40.2%）で、中小企業の方が進んでいることが注目される（**図18**）。

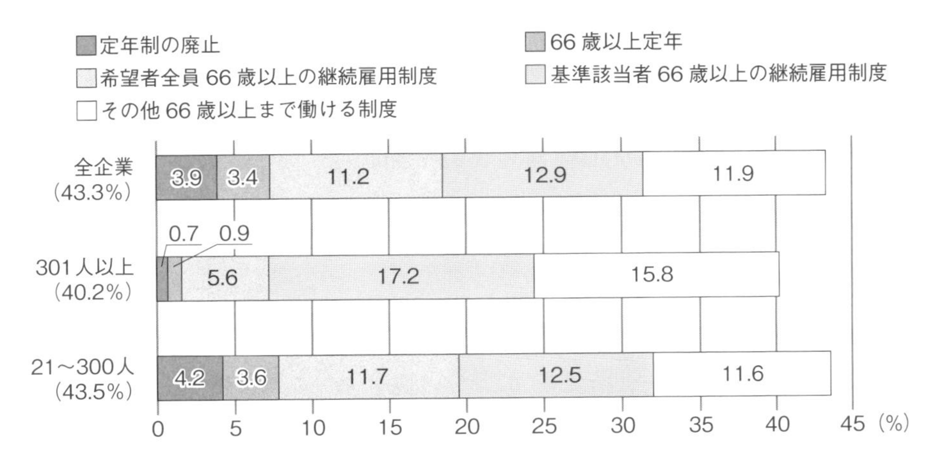

※ 66歳以上定年制度と66歳以上の継続雇用制度の両方の制度を持つ企業は、「66歳以上定年」のみに計上している。

図18 66歳以上まで働ける制度のある企業の状況（出所：厚生労働省：令和5年「高年齢者雇用状況等報告」）

2 70歳までの雇用推進に向けた施策

70歳までの就業確保措置は努力義務であるが、人口構成からも、将来的には労働力不足が深刻になることが見込まれる。地方において、また業種によってはすでに若年層の採用難、人材の量的不足と高齢化が経営課題となっている。特に建設事業、自動車運転業務などでは、働き方改革による時間外労働の上限規制の適用が2024年４月からとなったこともあり、人手不足の深刻度が増していく。宅配便での「置き配」などが推奨されているが、業務の効率化をいかに進めるかが問題となっている。

業種により状況は異なるが、各企業におかれては今のうちから真剣に検討するのが望ましい。厚生労働省等が主催する「高年齢者活躍企業コンテスト」で受賞した企業の中に、人口の少ない地方の企業が入っている。厳しい環境下で高年齢者の活躍の必要性を痛感した経営トップの主導の下、現場の実情を十分に踏まえた事業や人事施策の展開により、従業員や顧客から支持されている例がみられる。厚生労働省や高齢・障害・求職者雇用支援機構のホームページに、施策推進のマニュアルや先進企業の実例などの情報が掲載されている。これらを参考に、考慮すべきポイントを挙げてみたい。

① 経営者自身が高齢社員を活用する必要性を確信し、その方針を明確に示し、意義を自ら従業員に説明して、定年延長などの施策推進をリードする。他の人事施策（女性活躍推進等）も同様だが、トップ自身の積極的関与が何よりも重要である。

② 高年齢者の多様性を理解し、柔軟に対応する。年をとってもそれまでとあまり変わらず、バリバリ働ける人もいれば、体力、視力、聴力等が衰え、膝が痛くて早く歩けないなど

の支障を抱える人も多い。集中力や判断力の低下で、機械操作や車の運転などで危険性が高まることもある。この場合、業務による身体的な負担の軽減が必要である。

③　本人の身体状況のほかに、働き方の希望もより多様化する。60歳以前と同様の業務内容、責任の程度を望む人もいれば、業務負担を軽くして、通院や家族の介護、孫の世話、自治会での活動、趣味など、仕事以外に自分の時間を使いたい人もいる。それぞれの思いを受け止めて配慮する必要がある。短時間勤務の場合も時間数、時間帯、曜日などの選択肢を増やせば、さまざまなニーズに対応できる。また、時間単価が高い早朝・深夜、日曜勤務などを希望する高年齢者がいる場合は、そうした条件下での勤務が難しい子育て中などの社員の負担を減らせるということもある。本人の意向とともに、その上司や同僚からも話を聞き、調整を図る必要がある。各人のワーク・ライフ・バランスを取りやすい職場風土を形成できれば、メンバーの公平感も高まる。

④　高年齢者雇用の制度設計にあたり、その働きぶりを適切に評価した賃金を払う必要がある。短時間勤務や有期雇用の場合には、パートタイム・有期雇用労働法に従い、賃金その他の待遇のそれぞれについて、正社員の待遇との間において、職務の内容、人材活用の仕組み、その他の事情のうち、個々の待遇の性質・目的に照らして適切と認められるものを考慮して、不合理な差を設けてはならない。

3　エイジフレンドリーガイドライン

高年齢者が活き活きと活躍できるようにするには、前述の②の身体機能の低下を補うべく、職場環境の改善が求められる。

厚生労働省が策定したエイジフレンドリーガイドライン（高年齢労働者の安全と健康確保のためのガイドライン）が大いに参考になる。このガイドラインは、高年齢者の就労が進み、労働災害による休業４日以上の死傷者のうち、60歳以上の労働者の占める割合が増加傾向にあることを踏まえ、高年齢者が安心して安全に働ける職場環境の実現に向けて、事業者や労働者に取り組みが求められる事項をまとめたものである。

ガイドラインでは、職場環境改善に関し、身体機能の低下を補う設備・装置の導入（主にハード面の対策）として、作業場所の照度の確保、警報音等（聞き取りやすい中低音域の音）、階段への手すり設置、不自然な作業姿勢をなくすよう作業台の高さや作業対象物の配置の改善といったことを例示している。また、高年齢労働者の特性を考慮した作業管理（主にソフト面の対策）として、敏捷性や持久性、筋力の低下等の高年齢者の特性を考慮して作業内容等の見直しを検討・実施すべきとし、勤務形態や勤務時間の工夫、ゆとりのある作業スピード・無理のない作業姿勢等に配慮した作業マニュアルの策定、注意力や集中力を必要とする作業について作業時間を考慮する、などの例を参考に、事業場の実情に応じた優先順位を付けて、改善に取り組むこととしている。

その他、高年齢労働者の健康や体力の状況の把握とそれに応じた対応、高年齢労働者、管理監督者等に対する安全衛生教育についても記述している。さらに労働者に対して、事業主が実施する取り組みに協力するとともに、自らの身体機能の変化が労働災害リスクにつながりうることを理解し、青年、壮年期から健康づくりに取り組むことを求めている。

ワーク・ライフ・バランスの実現のためには、何よりも安全と健康の確保が基本であることを改めて認識し、行動する必要があることを心すべきである。

巻末資料1　日本の人口の推移（厚生労働省資料より）

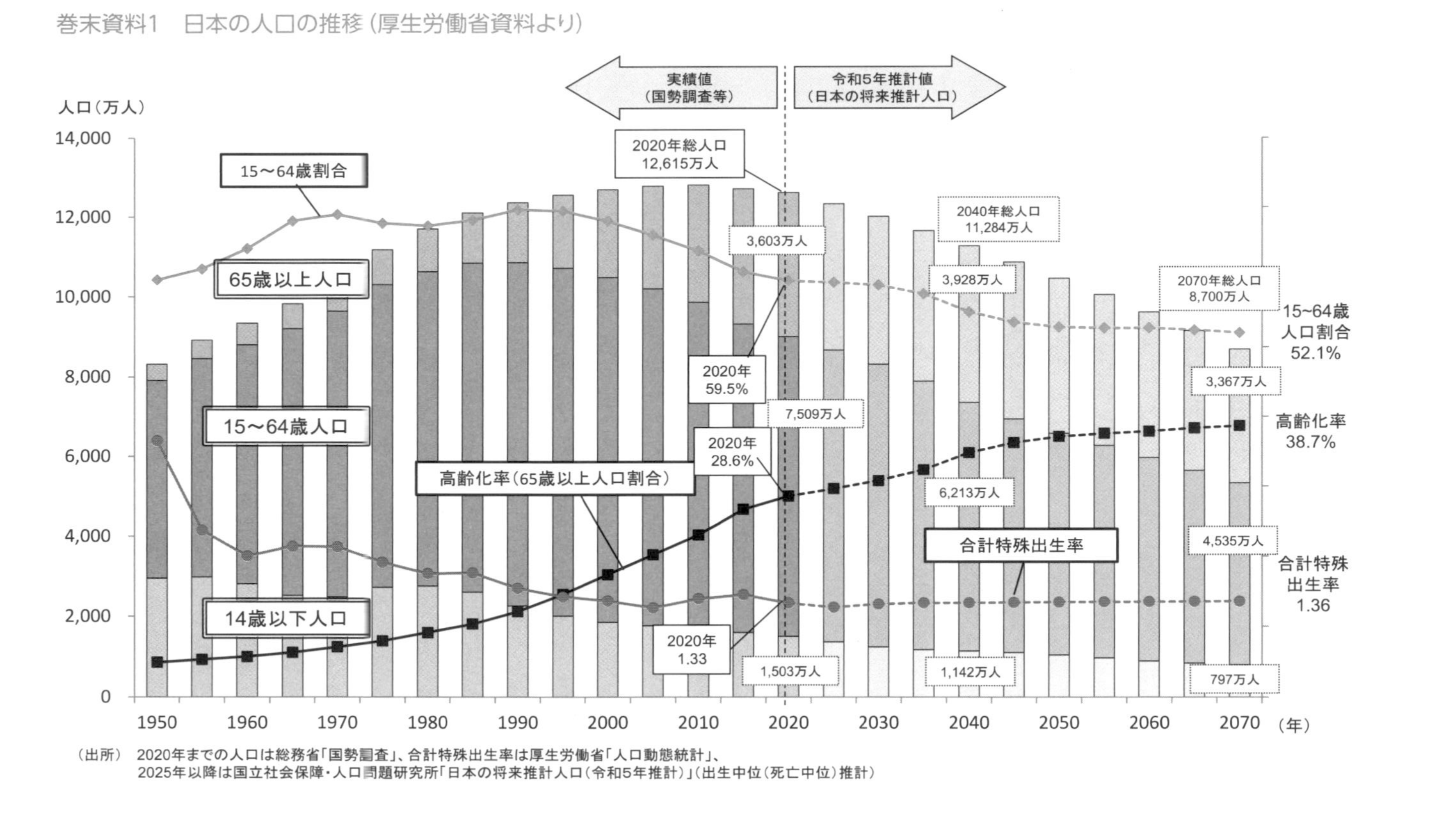

（出所）　2020年までの人口は総務省「国勢調査」、合計特殊出生率は厚生労働省「人口動態統計」、
2025年以降は国立社会保障・人口問題研究所「日本の将来推計人口（令和5年推計）」（出生中位（死亡中位）推計）

巻末資料2　日本の人口ピラミッドの変化（厚生労働省資料より）

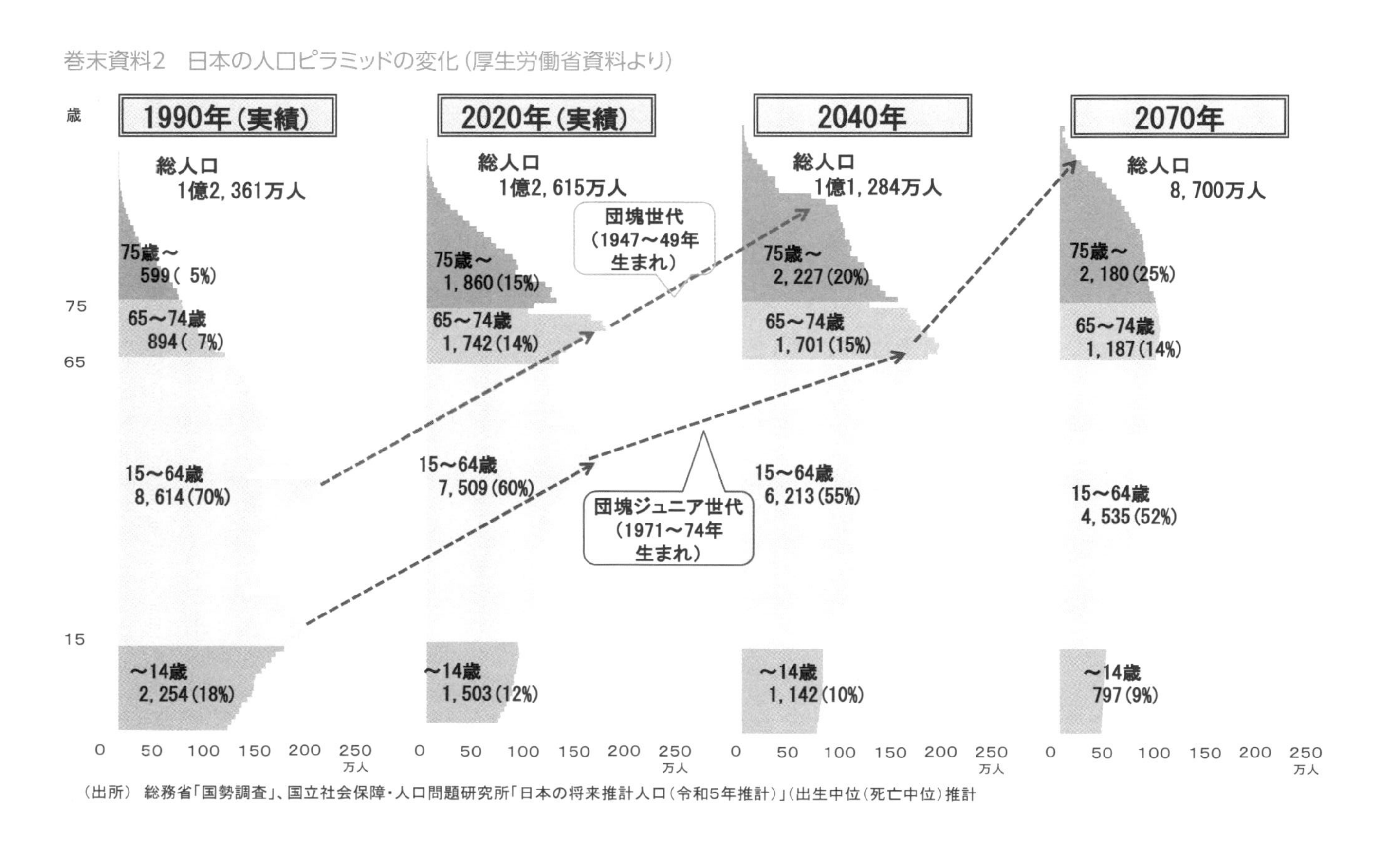

（出所）　総務省「国勢調査」、国立社会保障・人口問題研究所「日本の将来推計人口（令和5年推計）」（出生中位（死亡中位）推計

巻末資料3　正規雇用労働者と非正規雇用労働者の推移（厚生労働省資料より）

○ 正規雇用労働者は、2015年に８年ぶりにプラスに転じ、９年連続で増加しています。
○ 非正規雇用労働者は、2010年以降増加が続き、2020年、2021年は減少しましたが、2022年以降は増加しています。

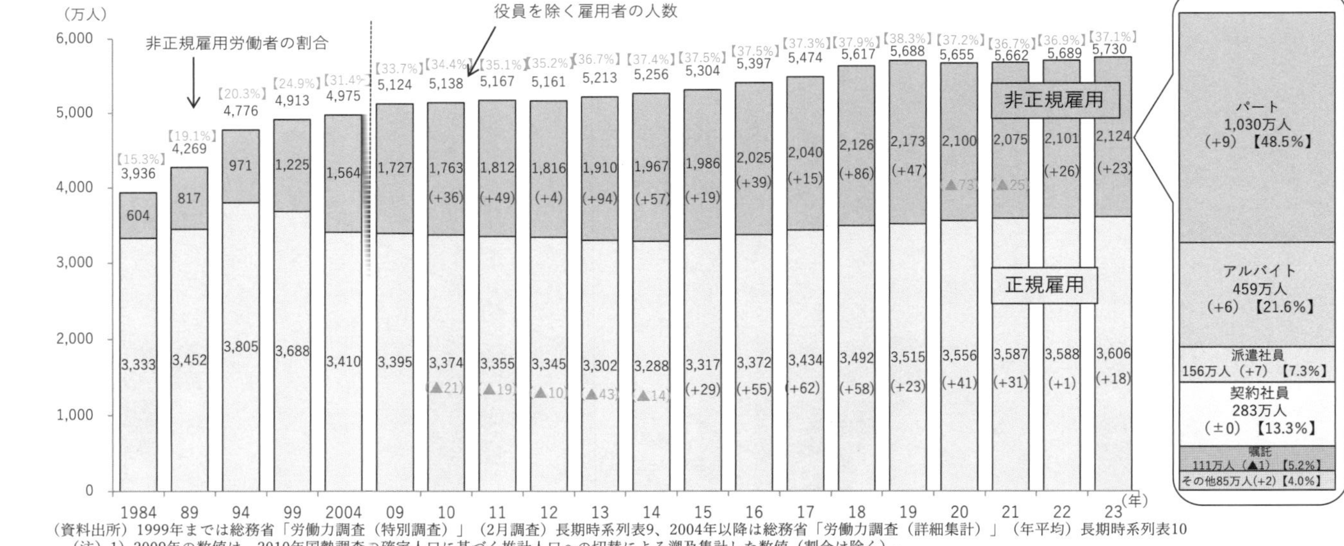

（資料出所）1999年までは総務省「労働力調査（特別調査）」（2月調査）長期時系列表9、2004年以降は総務省「労働力調査（詳細集計）」（年平均）長期時系列表10

（注）1）2009年の数値は、2010年国勢調査の確定人口に基づく推計人口への切替による遡及集計した数値（割合は除く）。
2）2010年から2014年までの数値は、2015年国勢調査の確定人口に基づく推計人口への切替による遡及集計した数値（割合は除く）。
3）2015年から2021年までの数値は、2020年国勢調査の確定人口に基づく推計人口（新基準）への切替による遡及集計した数値（割合は除く）。
4）2011年の数値、割合は、被災3県の補完推計値を用いて計算した値（2015年国勢調査基準）。
5）雇用形態の区分は、勤め先での「呼称」によるもの。
6）正規雇用労働者：勤め先での呼称が「正規の職員・従業員」である者。
7）非正規雇用労働者：勤め先での呼称が「パート」「アルバイト」「労働者派遣事業所の派遣社員」「契約社員」「嘱託」「その他」である者。
8）割合は、正規雇用労働者と非正規雇用労働者の合計に占める割合。

巻末資料4　賃金カーブ（時給ベース）（厚生労働省資料より）

○　非正規雇用労働者は、正規雇用労働者に比べ、賃金が低いという課題があります。

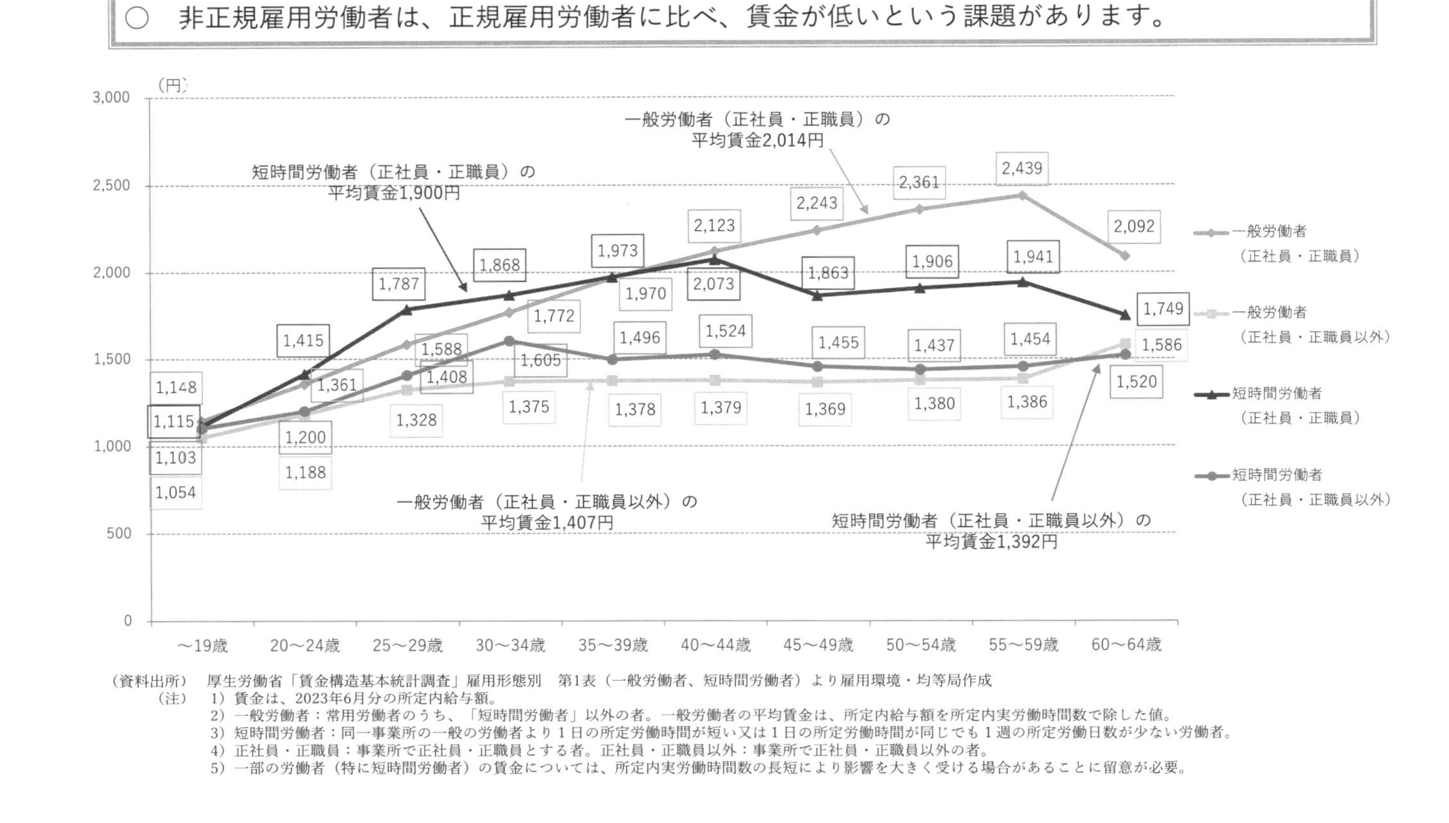

（資料出所）　厚生労働省「賃金構造基本統計調査」雇用形態別　第1表（一般労働者、短時間労働者）より雇用環境・均等局作成

（注）　1）賃金は、2023年6月分の所定内給与額。
2）一般労働者：常用労働者のうち、「短時間労働者」以外の者。一般労働者の平均賃金は、所定内給与額を所定内実労働時間数で除した値。
3）短時間労働者：同一事業所の一般の労働者より１日の所定労働時間が短い又は１日の所定労働時間が同じでも１週の所定労働日数が少ない労働者。
4）正社員・正職員：事業所で正社員・正職員とする者。正社員・正職員以外：事業所で正社員・正職員以外の者。
5）一部の労働者（特に短時間労働者）の賃金については、所定内実労働時間数の長短により影響を大きく受ける場合があることに留意が必要。

巻末資料5　教育訓練の実施状況（厚生労働省資料より）

○ いずれの就業形態においても「計画的な教育訓練（OJT）」、「入職時のガイダンス（Off-JT）」は正社員と比べて７割程度の実施となっていますが、「将来のためのキャリアアップのための教育訓練（Off-JT）」は４割を下回っています。

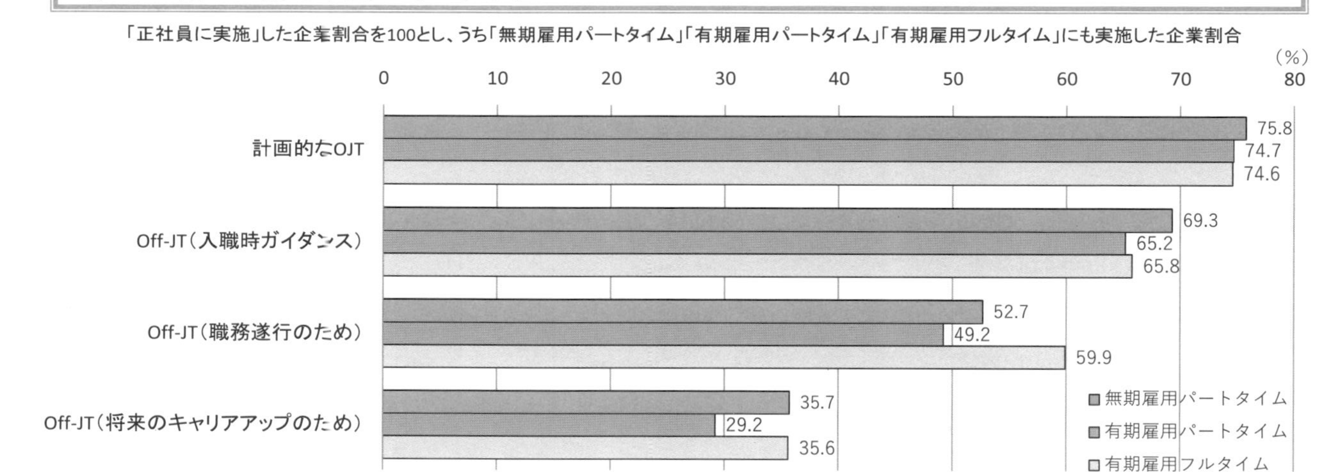

（資料出所）厚生労働省「パートタイム・有期雇用労働者総合実態調査」（2021年）（事業所調査）表４

（注）1）無期雇用パートタイム：常用労働者のうち、企業（事業所）に直接雇用されている労働者で、期間を定めずに雇用されており、かつ、１週間の所定労働時間が同一の事業主に雇用された通常の労働者（正社員）に比べて短い労働者をいう。

2）有期雇用パートタイム：常用労働者のうち、企業（事業所）に直接雇用されている労働者で、１年契約、６か月契約など期間を定めた労働契約により雇用されており、かつ、１週間の所定労働時間が同一の事業主に雇用されている通常の労働者（正社員）に比べて短い労働者をいう。

3）有期雇用フルタイム　：常用労働者のうち、企業（事業所）に直接雇用されている労働者で、１年契約、６か月契約など期間を定めた労働契約により雇用されており、かつ、１週間の所定労働時間が同一の事業主に雇用されている通常の労働者（正社員）と同じ労働者をいう。

4）計画的なOJT　：日常の業務に就きながら行われる教育訓練をいい、教育訓練に関する計画を作成するなどして教育担当者、対象者、期間、内容などを具体的に定めて、段階的・継続的に教育訓練を実施することをいう。

5）OFF－JT　：業務命令に基づき、通常の仕事を一時的に離れて行う教育訓練（研修）をいう。

巻末資料5　こども未来戦略「加速化プラン」施策のポイント（第17回全世代型社会保障構築会議参考資料1　p1より）

こども未来戦略 「加速化プラン」施策のポイント

1．若い世代の所得向上に向けた取組

✓ 賃上げ（「成長と分配の好循環」と「賃金と物価の好循環」の２つの好循環）
✓ 三位一体の労働市場改革（リ・スキリングによる能力向上支援、個々の企業の実態に応じた職務給の導入、成長分野への労働移動の円滑化）
✓ 非正規雇用労働者の雇用の安定と質の向上（同一労働同一賃金の徹底、希望する非正規雇用労働者の正規化）

児童手当の拡充

拡充後の初回の支給は2024年12月（2024年10月分から拡充）

✓ 所得制限を撤廃
✓ 高校生年代まで延長
すべてのこどもの育ちを支える**基礎的な経済支援**としての位置づけを明確化
✓ 第３子以降は３万円

支給金額	３歳未満	３歳～高校生年代
第１子・第２子	月額１万５千円	月額１万円
第３子以降	月額３万円	＊ 多子加算のカウント方法を見直し

→ ３人の子がいる家庭では、総額で最大400万円増の1100万円

妊娠・出産時からの支援強化

2022年度から実施中（2025年度から制度化）

✓ 出産・子育て応援交付金
10万円相当の経済的支援
①妊娠届出時（5万円相当）
②出生届出時（5万円相当×こどもの数）
✓ 伴走型相談支援
様々な不安・悩みに応え、ニーズに応じた支援につなげる
→ 妊娠時から出産・子育てまで一貫支援

出産等の経済的負担の軽減

2023年度から実施中

STEP 1　出産育児一時金の引き上げ
42万円 → 50万円に大幅引き上げ
「費用の見える化」・「環境整備」

STEP 2　出産費用の保険適用の検討
2026年度を目途に検討

高等教育（大学等）

大学等の高等教育費の負担軽減を拡充

✓ 給付型奨学金等を世帯年収約600万円までの多子世帯、理工農系に拡充　2024年度から実施
✓ **多子世帯**の学生等については授業料等を無償化　2025年度から実施
✓ 貸与型奨学金の月々の返還額を減額できる制度の収入要件等を緩和　2024年度から実施
✓ 修士段階の授業料後払い制度の導入　2024年度から実施

子育て世帯への住宅支援

✓ 公営住宅等への優先入居等
今後10年間で計３０万戸　実施中

✓ フラット35の金利引下げ
こどもの人数に応じて最大１％（5年間）の引下げ
2024年2月から実施

2．全てのこども・子育て世帯を対象とする支援の拡充

切れ目なくすべての子育て世帯を支援

✓「こども誰でも通園制度」を創設
・月一定時間までの利用可能枠の中で、**時間単位等で柔軟に通園が可能**な仕組み
※2024年度から本格実施を見据えた試行的事業を実施（2023年度からの実施も可能）
※2025年度から制度化・2026年度から給付化し全国の自治体で実施

✓ 保育所：量の拡大から質の向上へ　4・5歳児は2024年度から実施、1歳児は2025年度以降加速化プラン期間中の早期に実施
・**76年ぶりの配置改善**：（4・5歳児）30対1→25対1（1歳児）6対1→5対1
・民間給与動向等を踏まえた**保育士等の更なる処遇改善**　2023年度から実施
・「**小１の壁**」**打破**に向けた放課後児童クラブの質・量の拡充　2024年度から常勤職員配置の改善を実施

✓ 多様な支援ニーズへの対応
・**貧困**、**虐待防止**、**障害児**・**医療的ケア児**等への支援強化　2023年度から順次実施
・**児童扶養手当**の拡充　拡充後の初回の支給は2025年1月（2024年11月分から拡充）
・**補装具費**支援の所得制限の撤廃　2024年度から実施

3．共働き・共育ての推進

育休を取りやすい職場に

男性の育休取得率目標　85％へ大幅引き上げ（2030年）
※2022年度：17.13％

→ 男性育休を当たり前に
✓ 育児休業取得率の開示制度の拡充　2025年度から実施
✓ 中小企業に対する助成措置を大幅に強化
・業務を代替する周囲の社員への**応援手当**支給の助成拡充　2024年1月から実施
✓ 出生後の一定期間に**男女で育休を取得**することを促進するため給付率を手取り10割相当に　2025年度から実施

育児期を通じた柔軟な働き方の推進

✓ 子が３歳以降小学校就学前までの柔軟な働き方を実現するための措置
・事業主が、テレワーク、時短勤務等の中から２以上措置　公布の日から1年6月以内に政令で定める日から実施
✓ 時短勤務時の新たな給付　2025年度から実施 → 利用しやすい柔軟な制度へ

注）上記項目のうち、法律改正が必要な事項は、所要の法案を本通常国会に提出。

巻末資料7　育児休業、介護休業等育児又は家族介護を行う労働者の福祉に関する法律及び次世代育成支援対策推進法の一部を改正する法律案の概要（厚生労働省資料より）

育児休業、介護休業等育児又は家族介護を行う労働者の福祉に関する法律 及び 次世代育成支援対策推進法の一部を改正する法律案の概要

改正の趣旨

男女ともに仕事と育児・介護を両立できるようにするため、子の年齢に応じた柔軟な働き方を実現するための措置の拡充、育児休業の取得状況の公表義務の対象拡大や次世代育成支援対策の推進・強化、介護離職防止のための仕事と介護の両立支援制度の強化等の措置を講ずる。

改正の概要

1．子の年齢に応じた柔軟な働き方を実現するための措置の拡充【育児・介護休業法】

① ３歳以上の小学校就学前の子を養育する労働者に関し、事業主が職場のニーズを把握した上で、柔軟な働き方を実現するための措置を講じ（※）、労働者が選択して利用できるようにすることを義務付ける。また、当該措置の個別の周知・意向確認を義務付ける。
※　始業時刻等の変更、テレワーク、短時間勤務、新たな休暇の付与、その他働きながら子を養育しやすくするための措置のうち事業主が２つを選択

② 所定外労働の制限（残業免除）の対象となる労働者の範囲を、小学校就学前の子（現行は３歳になるまでの子）を養育する労働者に拡大する。
③ 子の看護休暇を子の行事参加等の場合も取得可能とし、対象となる子の範囲を小学校３年生（現行は小学校就学前）まで拡大するとともに、勤続６月未満の労働者を労使協定に基づき除外する仕組みを廃止する。
④ ３歳になるまでの子を養育する労働者に関し事業主が講ずる措置（努力義務）の内容に、テレワークを追加する。
⑤ 妊娠・出産の申出時や子が３歳になる前に、労働者の仕事と育児の両立に関する個別の意向の聴取・配慮を事業主に義務付ける。

2．育児休業の取得状況の公表義務の拡大や次世代育成支援対策の推進・強化【育児・介護休業法、次世代育成支援対策推進法】

① 育児休業の取得状況の公表義務の対象を、常時雇用する労働者数が300人超（現行1,000人超）の事業主に拡大する。
② 次世代育成支援対策推進法に基づく行動計画策定時に、育児休業の取得状況等に係る状況把握･数値目標の設定を事業主に義務付ける。
③ 次世代育成支援対策推進法の有効期限（現行は令和７年３月31日まで）を令和17年３月31日まで、10年間延長する。

3．介護離職防止のための仕事と介護の両立支援制度の強化等【育児・介護休業法】

① 労働者が家族の介護に直面した旨を申し出た時に、両立支援制度等について個別の周知・意向確認を行うことを事業主に義務付ける。
② 労働者等への両立支援制度等に関する早期の情報提供や、雇用環境の整備（労働者への研修等）を事業主に義務付ける。
③ 介護休暇について、勤続６月未満の労働者を労使協定に基づき除外する仕組みを廃止する。
④ 家族を介護する労働者に関し事業主が講ずる措置（努力義務）の内容に、テレワークを追加する。　等

このほか、平成24年の他法の改正に伴い整備する必要があった地方公営企業法第39条第６項について規定の修正等を行う。

施行期日

令和７年４月１日（ただし、２③は公布日、１①及び⑤は公布の日から起算して１年６月以内において政令で定める日）

巻末資料8　雇用保険法等の一部を改正する法律案の概要（厚生労働省資料より）

雇用保険法等の一部を改正する法律案の概要

改正の趣旨

多様な働き方を効果的に支える雇用のセーフティネットの構築、「人への投資」の強化等のため、雇用保険の対象拡大、教育訓練やリ・スキリング支援の充実、育児休業給付に係る安定的な財政運営の確保等の措置を講ずる。

改正の概要

1．雇用保険の適用拡大【雇用保険法、職業訓練の実施等による特定求職者の就職の支援に関する法律】

○　雇用保険の被保険者の要件のうち、週所定労働時間を「20時間以上」から「10時間以上」に変更し、適用対象を拡大する（※１）。

※１　これにより雇用保険の被保険者及び受給資格者となる者については、求職者支援制度の支援対象から除外しない。

2．教育訓練やリ・スキリング支援の充実【雇用保険法、特別会計に関する法律】

①　自己都合で退職した者が、雇用の安定・就職の促進に必要な職業に関する教育訓練等を自ら受けた場合には、給付制限をせず、雇用保険の基本手当を受給できるようにする（※２）。

※２　自己都合で退職した者については、給付制限期間を原則２か月としているが、１か月に短縮する（通達）。

②　教育訓練給付金について、訓練効果を高めるためのインセンティブ強化のため、雇用保険から支給される給付率を受講費用の最大70%から80%に引き上げる（※３）。

※３　教育訓練受講による賃金増加や資格取得等を要件とした追加給付（10%）を新たに創設する（省令）。

③　自発的な能力開発のため、被保険者が在職中に教育訓練のための休暇を取得した場合に、その期間中の生活を支えるため、基本手当に相当する新たな給付金を創設する。

3．育児休業給付に係る安定的な財政運営の確保【雇用保険法、労働保険の保険料の徴収等に関する法律】

①　育児休業給付の国庫負担の引下げの暫定措置（※４）を廃止する。

※４　本来は給付費の1/8だが、暫定措置で1/80とされている。

②　育児休業給付の保険料率を引き上げつつ(0.4%→0.5%)、保険財政の状況に応じて引き下げ(0.5%→0.4%)られるようにする(※5)。

※５　①・②により、当面の保険料率は現行の0.4%に据え置きつつ、今後の保険財政の悪化に備えて、実際の料率は保険財政の状況に応じて弾力的に調整。

4．その他雇用保険制度の見直し【雇用保険法】

○　教育訓練支援給付金の給付率の引下げ(基本手当の80%→60%)及びその暫定措置の令和８年度末までの継続、介護休業給付に係る国庫負担引下げ等の暫定措置の令和８年度末までの継続、就業促進手当の所要の見直し等を実施する。

等

施行期日

令和７年４月１日(ただし、３①及び４の一部は公布日、２②は令和６年10月１日、２③は令和７年10月１日、１は令和10年10月１日)

厚生労働省からのお知らせ

「年収の壁・支援強化パッケージ」

パート・アルバイトで働く方が「年収の壁」を意識せずに働ける環境づくりを後押しします。

パート・アルバイトで働く方の「年収の壁」に対する意識

年収106万円以上となることで、**厚生年金・健康保険**に加入するため、**保険料負担を避け**、就業調整してしまう。

▼

「106万円の壁」対応

パート・アルバイトで働く方の、厚生年金や健康保険の加入に併せて、**手取り収入を減らさない取組**（※）を実施する企業に対し、**労働者１人当たり最大50万円の支援をします。**

（※）・社会保険適用促進手当を支給（社会保険料の算定対象外）
・賃上げによる基本給の増額
・所定労働時間の延長

年収130万円以上となることで、**国民年金・国民健康保険**に加入するため、**保険料負担を避け**、就業調整してしまう。

▼

「130万円の壁」対応

パート・アルバイトで働く方が、繁忙期に労働時間を延ばすなどにより、**収入が一時的に上がったとしても、事業主がその旨を証明**することで、**引き続き被扶養者認定が可能となる仕組みを作ります。**

▶ この他に「配偶者手当への対応」もあり　各対応の詳細は裏面をご覧ください。

年収の壁突破・総合相談窓口
0120-030-045（フリーダイヤル・無料）
受付時間　平日　8:30～18:15（土日・祝E・年末年始（12/29～1/3）はご利用いただけません。）

年収の壁に関する厚生労働省HP

厚生労働省

「106万円の壁」への対応

◆企業への支援【キャリアアップ助成金「社会保険適用時処遇改善コース」】　詳細はこちら

労働者本人負担分の保険料相当額の手当支給や賃上げなどにより、壁を意識せず働ける環境づくりを行う企業を後押しするコースの新設。

（１）手当等支給メニュー

要件	１人当たり助成額
① 賃金の**15%以上を追加支給**（社会保険適用促進手当）	１年目 20万円
② 賃金の**15%以上を追加支給**（社会保険適用促進手当）３年目以降、③の取組	２年目 20万円
③ 賃金の**18%以上を増額**	３年目 10万円

（２）労働時間延長メニュー

週所定労働時間の延長	賃金の増額	１人当たり助成額
４時間以上	－	30万円
３時間以上４時間未満	５%以上	
２時間以上３時間未満	10%以上	
１時間以上２時間未満	15%以上	

※　助成額は中小企業の場合。大企業の場合は３／４の額。
※　１年目に（１）の取組による助成（20万円）を受けた後、２年目に（２）の取組による助成（30万円）を受けることが可能。

◆社会保険適用促進手当

事業主が被用者保険適用に伴い手取り収入を減らさないよう手当を支給した場合は、本人負担分の保険料相当額を上限として社会保険料の算定対象としません。

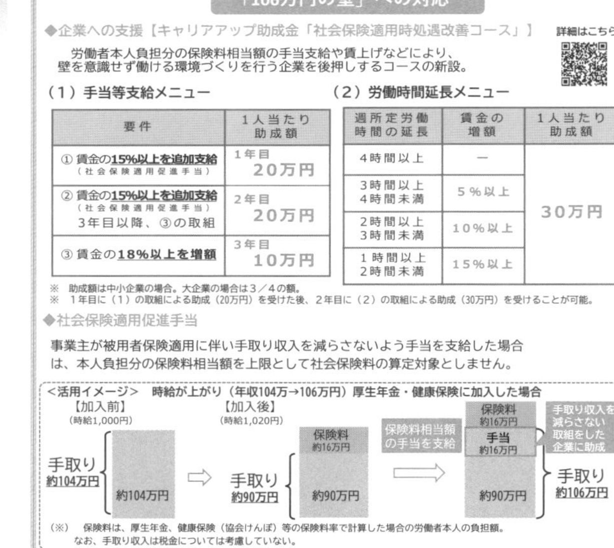

（※）　保険料は、厚生年金、健康保険（協会けんぽ）等の保険料率で計算した場合の労働者本人の負担額。なお、手取り収入は税金については考慮していない。

「130万円の壁」への対応

◆事業主の証明による被扶養者認定の円滑化

（例）毎月10万円で働くパートの方が残業により一時的に収入増になった場合

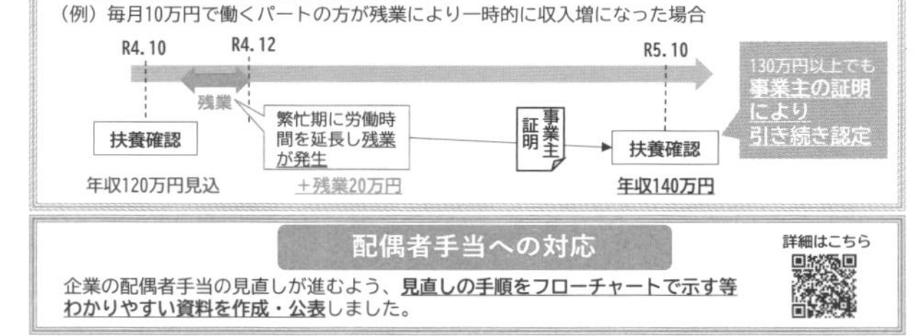

配偶者手当への対応

企業の配偶者手当の見直しが進むよう、**見直しの手順をフローチャートで示す等わかりやすい資料を作成・公表**しました。　詳細はこちら

【働く男女の参考データ】

参考データ1　従業上の地位別就業者数、構成比の推移（総務省　労働力調査（基本集計）、厚生労働省「働く女性の実情」より）

区分		就業者		自営業主		家族従業者		雇用者	
		数（万人）	比率（%）	数（万人）	比率（%）	数（万人）	比率（%）	数（万人）	比率（%）
男	1980年	3,394	100	658	19.4	112	3.3	2,617	77.1
	2000年	3,817	100	527	13.8	63	1.7	3,216	84.3
	2022年	3,699	100	376	10.2	26	0.7	3,276	88.6
女	1980年	2,142	100	293	13.7	491	22.9	1,354	63.2
	2000年	2,629	100	204	7.8	278	10.6	2,140	81.4
	2022年	3,024	100	138	4.6	107	3.5	2,765	91.4

・自営業主、家族従業者は大幅に減少し、男女とも雇用者が約9割を占める。自営業系も楽ではないが、自分で働き方を調整できる面がある。雇用者は、使用者の指揮命令に従って動き、残業を命じられる場合もあり、ワーク・ライフ・バランスがより問題になってくる。

参考データ2　給与階級別給与所得者数・構成割合（国税庁　民間給与実態統計調査より）

区分		令和4年分			
		男		女	
		千人	%	千人	%
100万円以下		982	3.4	3,003	14.0
100万円超	200万円以下	1,818	6.2	4,615	21.5
200万円超	300万円以下	2,878	9.8	4,301	20.0
300万円超	400万円以下	4,539	15.5	3,856	17.9
400万円超	500万円以下	5,177	17.7	2,612	12.1
500万円超	600万円以下	4,143	14.2	1,369	6.4
600万円超	700万円以下	2,771	9.5	733	3.4
700万円超	800万円以下	2,064	7.1	373	1.7
800万円超	900万円以下	1,461	5.0	215	1.0
900万円超	1,000万円以下	989	3.4	127	0.6
1,000万円超	1,500万円以下	1,804	6.2	215	1.0
1,500万円超	2,000万円以下	375	1.3	57	0.3
2,000万円超	2,500万円以下	116	0.4	15	0.1
2500万円超		151	0.5	19	0.1
計		29,266	100.0	21,510	100.0

・女性の役職者は増加してきているが、他の先進諸国に比べると低い。2022年分の民間給与実態統計調査によると、給与が700万円を超える人の割合は女性4.8%、男性23.9%で、給与が300万円以下の人の割合は女性55.5%、男性19.4%である。大きな格差があり、男女間での管理職に占める割合、非正規の人の割合の差などが影響していると考えられる。

参考データ3　役職者に占める女性の割合の推移（内閣府　男女共同参画白書（令和5年版）p136より）

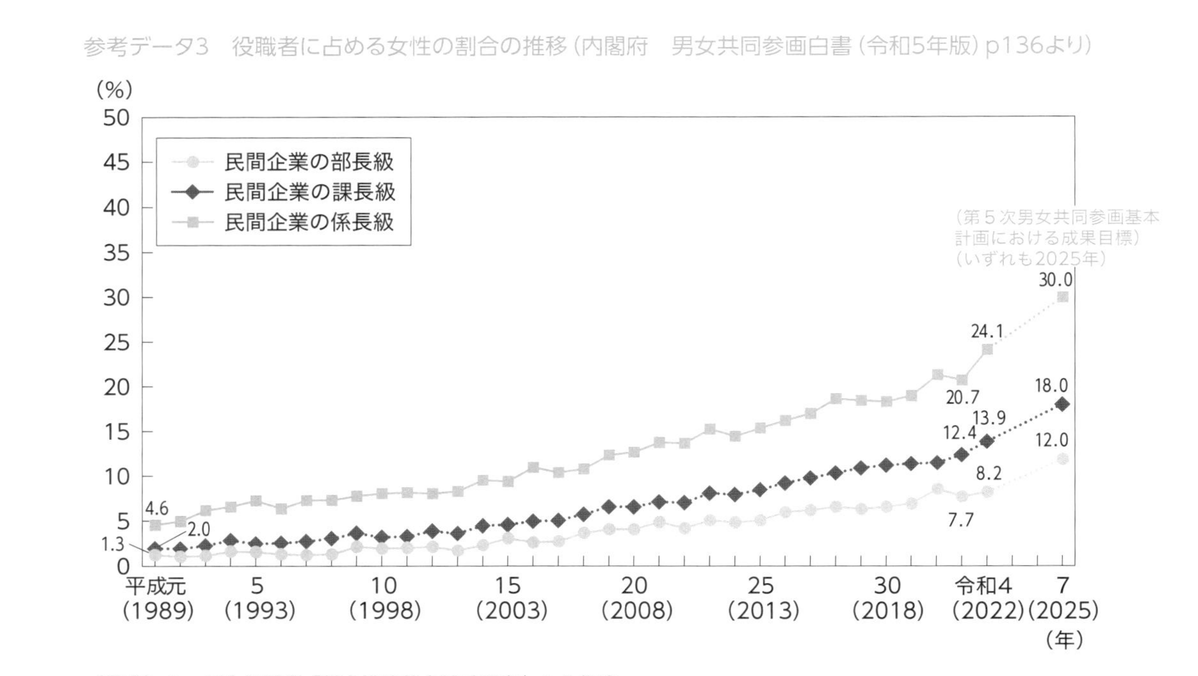

（備考）１．厚生労働省「賃金構造基本統計調査」より作成。
２．令和２（2020）年から、調査対象が変更となり、10人以上の常用労働者を雇用する企業を集計しているが、令和元（2019）年以前の企業規模区分（100人以上の常用労働者を雇用する企業）と比較可能となるよう、同様の企業規模区分の数値により算出した。

参考データ4　管理的職業従事者に占める女性割合の国際比較
（雇月の分野における女性活躍推進に関する検討会（第2回）　参考資料　p7より）

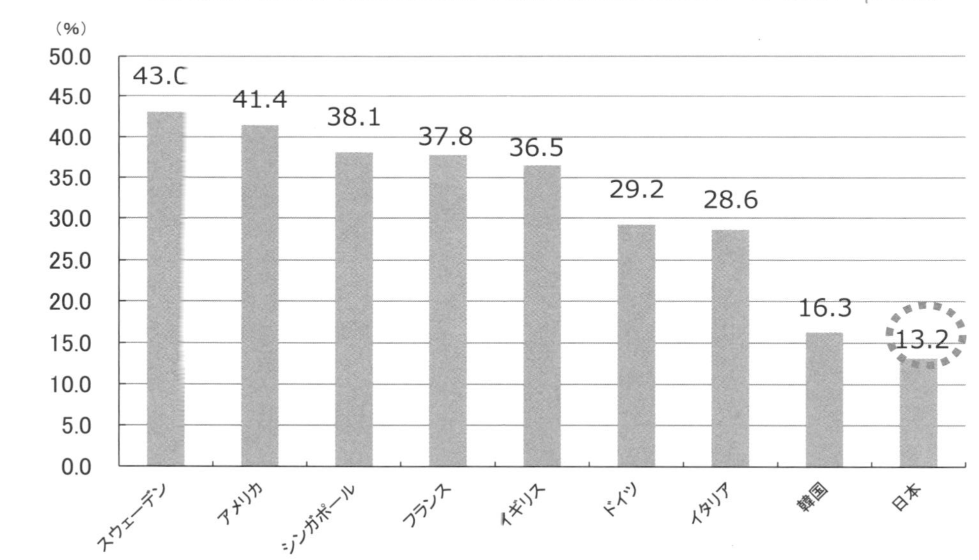

（資料出所）（独）労働政策研究・研修機構「データブック国際労働比較2023」
いずれも2021年値

注１）日本の分類基準（日本標準職業分類）とその他の国の分類基準（ISCO-08）が異なるので、単純比較は難しいこと こ留意が必要。

２）ここでいう「管理職」は、管理的職業従事者（会社役員や企業の課長相当職以上や管理的公務員等）をいう。

３）割合は、管理的職業従事者のうち女性の占める割合。

参考文献

文中に引用したもののほか、以下の文献を参考にしています。
・「男女共同参画白書」 各年版、内閣府
・「高齢社会白書」 各年版 内閣府
・「働く女性の実情」 各年版 厚生労働省
・「ワーク・ライフ・バランスのすすめ」 村上 文 法律文化社 2014年
・「これからの働き方、生き方」 村上 文 労働法令通信2023年1月8・18日号 労働法令

著者略歴

村上（むらかみ） 文（あや）

1977年３月 東京大学法学部第1類卒業
1977年４月 労働省（当時）入省
1996年４月 労働省 婦人局 婦人福祉課長
1998年７月 厚生省 老人保健福祉局 老人福祉振興課長
介護保険制度実施推進本部員
2001年１月 内閣府 男女共同参画局 推進課長
2003年８月 厚生労働省 埼玉労働局長
2006年12月 財団法人21世紀職業財団 専務理事
2011年４月 帝京大学 法学部法律学科 教授（現任）
2012年４月 佐賀県立男女共同参画センター・生涯学習センター館長（～ 2015年３月）
2015年６月 清水建設株式会社 社外取締役（～ 2021年6月）
2023年４月 埼玉県労働委員会 委員（現任）

ワーク・ライフ・バランスはいま
〜少子高齢化と多様化が進む中で〜

令和6年6月28日　第1版第1刷発行

著　者　村上　文
発行者　平山　剛
発行所　中央労働災害防止協会
〒108-0023
東京都港区芝浦3丁目17番12号　吾妻ビル9階
電話　販売　03（3452）6401
編集　03（3452）6209
ホームページ　https://www.jisha.or.jp
デザイン　新島　浩幸
表紙イラスト　カケイキョウ
印刷・製本　モリモト印刷株式会社

乱丁・落丁本はお取替えいたします。

ISBN978-4-8059-2162-3　C3036